知りたいこと
がすぐわかる 図解

知的財産権のしくみ

ジーベック国際特許事務所

日本実業出版社

まえがき

「知的財産権」は、「知的財産」という無形の資産を保護する権利です。不動産などの有形の資産は所有権で保護され、所有権者がきちんと管理していれば、第三者が所有権者に無断でその有形資産を使用することはできません。しかし、物理的な実体がない無形資産については、たとえ所有権が認められても、所有権者が目の届くところに置いたり鍵をかけたりして管理することができませんので、知的財産権で保護されます。

ところで、「知的財産」は、なぜ"資産（財産）"として保護されるのでしょうか？

それは、「知的財産」が、人間の創作的活動により生み出されるものや事業活動に用いられるものであって（知的財産基本法は、「発明、考案、植物の新品種、意匠、著作物その他の人間の創造的活動により生み出されるもの」、「商標、商号その他事業活動に用いられる商品又は役務を表示するもの」、「営業秘密その他の事業活動に有用な技術上又は営業上の情報」を「知的財産」としています。）、経済的な価値を有するからです。たとえば、新型コロナウイルス感染症のワクチンの発明には、世界各国に多大な金額を支払ってでも使用したいと思わせるだけの経済的価値がありますが、もしこのような発明が保護されずに誰でも使用できるのであれば、そもそも財を投じてワクチンを開発しようとする企業などが現れず、ワクチンが未だに存在しなかったかもしれません。

アメリカの旧特許庁の玄関の石碑に刻まれたリンカーン元大統領の言葉（THE PATENT SYSTEM ADDED THE FUEL OF INTEREST TO THE FIRE OF GENIUS：特許制度は、天才の火に利益という油を注いだ）が象徴するように、人類が創作能力を発揮し知的財産が生み出され続けてきて現在の文明があり、その継続により未来の文明があり、この流れを支えているのが知的財産権です。

本書は、知的財産権についてよく知らないけれども関心がある、または、知的財産権を必要に迫られて学ばなければいけないという経営者、企業人、学生の方々に向けて執筆しました。多岐にわたる内容を53のテーマに区切り、すべてのテーマについて通読いただくと、知的財産権に関する網羅的、全方位的な知識が得られるように意図しています。また、「知りたいことがすぐわかる」のタイトルどおり、目下関心があるテーマや必要なテーマを辞書的に読み拾うような使い方も可能です。

　本書の入門書という位置づけや紙面の制約から、細かい事項や法律の条項などは省略していますが、テーマによっては実務家の方に実務上の観点・考え方を提供させていただきたく、奥深い内容も散りばめさせていただきました。実務寄りのテーマでは、知財実務に携わる専門家の方にも読み甲斐を感じていただければ幸いです。

2021年11月

　　　　　　　　　　　ジーベック国際特許事務所　執筆者一同

本書の内容は2021年11月1日現在の法令等に基づいています。

第3章 創作を保護する知的財産権

《第1節　特許権・実用新案権》

◎装丁／坂井正規　　◎本文DTP／一企画

第**1**章

知的財産をめぐる
今日的問題

1 知的財産権の意義

知的財産権は企業価値を高める資産である

● 知的財産権の意義

　知的財産権は、国家が個人や企業に発明や商標等の独占を保証するもので、何百年にもわたって世界各国で存続しているように（⑧項を参照）、人間社会に必要とされています。社会には、努力して成し遂げた創作や努力して築いた信用が他人に模倣、ただ乗りされてしまうのであれば、努力する側よりも模倣する側に回ろうとする人がいて、そのような人が多数現れては、世の中から努力がなくなり、社会が発展しなくなります。知的財産権とそれを規定する知財制度は、そうした事態を防ぐための努力維持・推進システムともいえます。

　知的財産権が努力する人のための権利であるとすると、知的財産権を有する企業は努力し、その努力の成果が国家により保護されているということになります。もし、トヨタ自動車やソニーグループ、あるいは、アメリカのAppleやTESLAなどの名だたる企業が、知的財産権を持っていなければ、企業努力の成果である技術やブランドが他社から脅かされる心許ないものとなり、現在ほどの企業価値が認められることはないでしょう。

　換言すると、企業にとって、知的財産権は企業価値を高める資産です。仮に企業価値の10％が知的財産権によるものだとすると、知的財産権は、それがない場合と比べて企業価値を1割強、引き上げていることになります。知的財産権が企業価値を高めることは、アメリカの代表的な500社（S&P500）の市場価値の構成要素は無形資産が大半を占め、人的資本と知的財産中心の企業がきわめて高い企業価値を創出していることか

らも明らかです。

　企業において、知的財産権は、微視的には具体的な事業との関係で意味を持ち、事業の攻守に用いられますが、巨視的には企業価値を高め、その企業の存続と発展に寄与します。

◉ 企業価値は知的財産権により成長 ◉

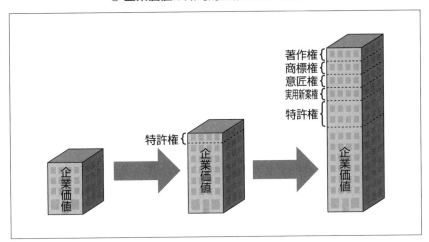

● 知的財産権による価格競争との決別

　知的財産権が企業価値を高める理由の一つとして、企業を価格競争から決別可能とすることが挙げられます。

　企業が新しい商品を開発・販売し、それがヒットして需要があることが判明すると、他の企業が類似商品を発売して市場に参入してきます。このとき、需要者から見て各企業の商品に大差がなければ、需要者はより安い商品を求め、高価な商品は売れなくなるので、価格競争が起こります。価格競争が起こると、企業は少しでも安く商品を提供しなければならないので、製造や販売にかかるコストのほか利益も削らざるを得なくなります。こうなってしまうと、あとは企業間の体力勝負で、体力（資金力）のない企業は市場からの撤退を余儀なくされます。

● 価格競争の仕組み ●

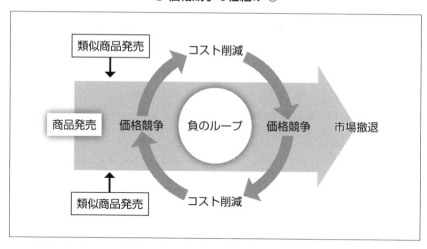

　価格競争の原因は、複数の企業が同じような商品を販売することにあります。価格競争は、体力のある企業にとっては、他の企業が淘汰された後に市場を支配できるメリットがありますが、多くの企業にとっては業績悪化を招きますので、価格競争に陥らないための工夫が必要です。この工夫は、価格競争の原因を考えれば、他の企業が同じような商品を販売できないような戦略を採ればよいことがわかります。

　その戦略の一つとして、他の企業が真似したくても真似できないような独自のノウハウを商品に投入し、他の企業の商品と差別化を図る方法があります。しかし、**リバースエンジニアリング**[1] によっても他の企業が知ることができず、しかも、商品の売行きに寄与する独自のノウハウというのは、なかなか存在しないでしょうから、この方法が有効なケースは限定的です。

　そして、もう一つの戦略が、知的財産権を活用する方法です。特許権や意匠権、商標権等の知的財産権は、権利者以外の第三者による特許技

---

[1]　市場などから入手した製品を分解、解析し、その構成や動作、製造方法、ソースコードなどの技術情報を明らかにすることです。

術等の利用を禁止するものです。したがって、自社の商品に、その売行きに寄与する技術や形状を利用していて、それに特許権や意匠権が付与されていれば、他の企業は、その技術や形状を真似すれば特許権侵害や意匠権侵害になりますから、真似することができません。あるいは、自社の商品に、売行きに寄与する魅力的な商品名を付けていて、それに商標権が付与されていれば、他の企業は、その商品名を真似すれば商標権侵害になりますから、やはり真似することができません。この知的財産権を活用する方法は、一つめの方法よりも汎用性があり、一つめの方法を採れない場合でも、または、一つめの方法とともに、多くの企業で採用可能です。

◉ 価格競争に陥らないための方法 ◉

	メリット	デメリット
独自のノウハウの投入	・技術内容を秘匿可能 ・長期にわたって差別化を維持	・ノウハウが漏れた場合にリカバリーが困難 ・採用可能なケースが限定的
知的財産権（特許権）の活用	・採用可能なケースが広範で汎用性あり ・技術を真似する企業に対して強力な権利行使が可能	・出願公開（16項を参照）により技術内容が公開 ・特許権の権利期間が有限 ・外国で権利取得する際に費用が高額

　なお、価格競争に陥らないために知的財産権を活用するには、商品が売れ始めてからではなく、商品開発やブランド構築と並行して戦略を検討することがきわめて重要です。スタートアップ企業などでは、コストがかかる知的財産権の取得は後回しになりがちですが、後回しにすると特許権は取得困難になることが多く、商標権も、第三者に先に取得されてしまうと、せっかく市場に浸透させたブランドを手放さなければならなくなりますので、知的財産権への投資は、創業当初から意識すべきです。

2 知的財産にみる世界の勢力図

知財でわかる中国の躍進

● 知的財産に対する取組みと各国の勢力

　知的財産は、企業間における技術開発などの競争の中で優位に立つことを目指して生み出されるもので、知的財産に対する取組みに積極的な国家、または、知的財産に対する取組みに積極的な企業を数多く擁する国家は、国際的に強い勢力（競争力）を有するといえます。

　逆に、知的財産に対する取組みに積極的でない国家は、発明等を独占的に囲い込む陣取り合戦で陣を取り損なっているといえ、知的財産に対する取組みは、各国の勢力を測るバロメーターになります。

● 知的財産権による新技術の囲い込み ●

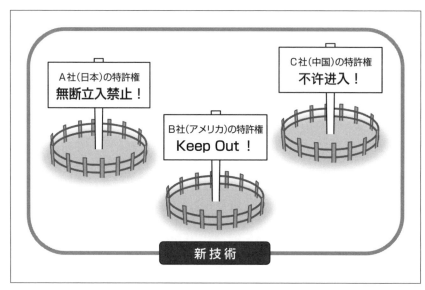

● 知財分野における日本とアメリカの地位

かつて日本は、知的財産の分野でアメリカ、ヨーロッパとともに「三極」と呼ばれ、出願件数においても、知財制度の運用においても、世界をリードしていました。日本は、1968年から2005年まで出願件数で世界の首位に立ち、2001年に日本国内の特許出願件数は約44万件のピークに達し、2002年に政府は知財立国を宣言しました。

しかし、知財立国宣言が結実しないまま他国に猛追され、日本の特許出願件数は2020年に29万件弱にまで落ち込み、国別では中国、アメリカに次ぐ3位の地位にあります。日本の商標と意匠の出願件数はそれぞれ3位と8位で、いまなお世界の上位ですが、世界全体の出願件数が急激に増えるなか、出願件数が多い五つの国と地域（中国、アメリカ、日本、韓国、ヨーロッパ）のうち日本の出願件数だけが右肩下がりで、外国人（非居住者）による出願が少ないという傾向にあります。

◉ 五大特許庁における最近の特許出願件数の推移 ◉

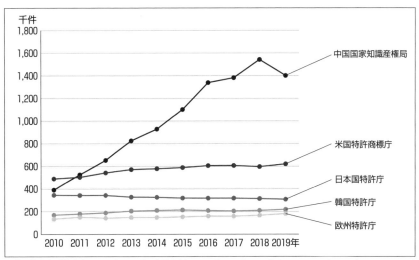

出典：特許庁「特許庁ステータスレポート2021」(https://www.jpo.go.jp/resources/report/statusreport/2021/document/index/all.pdf) をもとに著者作成

近年、日本の特に大企業は、国内出願を抑制して外国出願に注力しており、日本の国内出願件数だけをみて日本企業の活力、競争力が失われていると判断することは早計かもしれません。日本は、国際特許出願（PCT出願：26項を参照）の件数については、2割弱のシェアを維持しています。

　一方、長らく日本に次いで2位だったアメリカの出願件数は、2006年に日本を抜いて首位に立ったものの、2011年に中国に抜かれて、現在、日本の約2倍の60万件を超えていながらも再び2位の地位にあります（前ページのグラフを参照）。

　アメリカには、同国の企業だけではなく世界各国の企業が特許出願をしています。その理由は、企業がアメリカを海外事業の拠点と位置付けたり、アメリカの特許制度が権利活用しやすいと考えたりしているからです。アメリカでは、特許取得件数が多い企業はIBM、Samsung、キヤノン、Microsoft、Intel、TSMC、LG、Apple、Huawei、Qualcommなどのアメリカ、アジアを代表するグローバル企業で、特許取得件数ランキングの上位を日本国籍の企業が独占する日本とは様相が異なります。

● 日本、アメリカを凌駕した中国

　中国の知財制度は新しく、出願件数は2000年代に入って急伸しました。特に2008年に国務院が「国家知的財産権戦略綱要」を公表し、知的財産を国家戦略として位置付けてからの伸びは目覚ましく、世界知的所有権機関（WIPO）によると、2019年の中国国内の特許、実用新案、商標、意匠の出願件数はそれぞれ約140万件（世界全体に対するシェアは約43％）、約227万件（同約97％）、約783万件（同約52％）、約71万件（同約52％）で、いずれも他の国・地域を圧倒して1位でした。 2020年のPCT出願の件数でも中国は1位で、出願人別でも中国企業のHuaweiが1位でした。

　こうした中国の躍進は、出願費用のために巨額の補助金を投じたり、

企業に出願を働きかけたりと国を挙げての取組みによるところが大きく、出願件数に見合うだけの実のある知的財産があるのかどうかは疑問視されることもありますが、それでも中国に国力、技術力がなければ、このような驚異的な数字は生み出せません。

● 各国の知的財産権の出願件数（2020年）●

（単位：万件）

	特許	実用新案	意匠	商標
日本	28.8	0.6	3.2	18.1
アメリカ	59.7	―	4.8	66.2
中国	149.7	292.7	77	934.6

注：アメリカに実用新案はありません

　また、中国では訴訟件数も桁違いで、2019年の知財関連の民事訴訟の提起件数は、専利（特許、実用新案、意匠）が約2万2千件、商標が約6万5千件、著作権が約29万3千件です（2019年のアメリカの連邦地方裁判所における特許訴訟件数は3,588件、日本の知財関係民事事件の地方裁判所の新受件数は505件です）。

　膨大な案件を処理するために、中国では、中国国家知識産権局（CNIPA）の下部組織として専利審査協作センターを設立し、1万人を超える審査官を確保したり、CNIPAの委託を受けて商標審査業務を行う商標審査協作センターを設立したりしています。

　さらに、中国は、北京、上海、広州に知財専門裁判所である知識産権法院を設けるとともに、天津、長沙、西安、青島、深圳、南京、武漢、成都等の中級人民法院（地方裁判所）に知財専門部門である知識産権法廷を設け、2019年からは最高人民法院（最高裁判所）にも知識産権法廷を設けています。

3 事業承継と知財デューデリジェンス

不十分な知財ＤＤが事業承継のリスクを招くこともある

● 事業承継とは

　事業承継とは、会社の経営を旧経営者から新経営者に引き継ぐことで、親族内で承継する場合、親族外の役員や従業員に承継する場合、M&A（合併・買収）により承継する場合があります。近年、親族内承継の割合が減少し、M&Aを含む親族外承継の割合が増えています。

　親族内承継は、それまでの経営者が高齢や病気になって行われることが多く、役員や従業員への承継の際には、それまでの経営者が株式を保有したまま、社長の地位を親族外の役員や従業員に譲って経営は委ね、実権は手元に残すことがあります。これらの承継では、旧経営者と新経営者との間に深い人的なつながりや信頼関係があることが多く、新経営者が旧経営者から引き継ぐ事業の内容を改めて精査することは、あまり行われません。

　一方、M&Aにより承継する場合は、承継先の企業が承継元の企業の技術が欲しいとか、ブランドが欲しいとか、取引先やシェアが欲しいとか、知的財産が欲しいとか、何らかのビジネス上のメリットを期待しています。したがって、M&Aにかけられる予算とリスクの範囲内でそのメリットが得られるならば承継する、そうでなければ承継しないという、よりビジネスライクな判断が行われます。

● M&Aにおける知財デューデリジェンス

　M&Aによる事業承継では、承継先の企業は、承継元の企業の価値やリスクを見極めるために、デューデリジェンスにより承継元の企業の身

体検査を行います。デューデリジェンス（Due Diligence）は、「相当な注意義務」の意味が転じて対象会社（承継元の企業）を調査することを指し、ビジネスやファイナンス、法務、税務などの観点から行われます。最近では、知財デューデリジェンス（知財デューデリと称されたり、知財DDと表記されたりします）も意識され始め、特許庁も、2018年に「知的財産デュー・デリジェンスの実態に関する調査研究報告書」を発表しました。

　知財デューデリジェンスは、M&Aの目的によっては非常に重要です。たとえば、承継先の企業が、対象会社の技術に着目してM&Aを検討している場合に、その技術が第三者の特許権に抵触するものであれば、その技術を使うことができないというリスクがあります。また、承継先の企業が、対象会社の製品に魅力を感じてM&Aを検討している場合に、その製品が特許権で保護されていて競合品の市場参入はないと思い込んでいたところ、その製品が実際には特許権で保護されておらず、競合品の出現により期待していた利益が得られないというリスクも考えられます。このようなリスクは、一般的な法務デューデリジェンスでは判明せず、知財デューデリジェンスによらなければ明らかになりません。

　「知的財産デュー・デリジェンスの実態に関する調査研究報告書」には、デューデリジェンスにおいて発見されるリスクと対応策例、知財デューデリジェンスの結果が取引に与えたアンケート結果などがまとめられています（次ページを参照）。

　このアンケート結果は、母集団が大きなものではありませんが、リスクが高い場合の対応策である「買収スキームの変更、承継する知的財産権の特定方法の変更」が約15％、「買収価額の減額」が約12％、「取引自体の中止」が約9％含まれているのは、知財デューデリジェンスがM&Aで果たす役割の大きさや、十分な知財デューデリジェンスを経ないM&Aが危険であることを示しています。

● デューデリジェンスで発見されるリスクと対応策例 ●

リスク	対応策例		
高	取引自体の中止		
	主要な取引条件の変更	取引価格の減額	
		取引手法の変更	
中	契約書における リスクヘッジ	実行の前提条件の 変更・追加	実行前の義務の変更・追加
			表明保証条項
		実行後の義務の変更・追加	
低	出資等の後の統合作業 (PMI) で対応すべき事項の検討		
	表明保証条項		
	発見事項なし		

出典：特許庁「知的財産デュー・デリジェンスの実態に関する調査研究報告書」
　　　（https://www.jpo.go.jp/support/startup/document/index/2017_06_zentai.pdf）

● 知財DDの結果が取引に与えた結果 ●（N=121 複数回答）

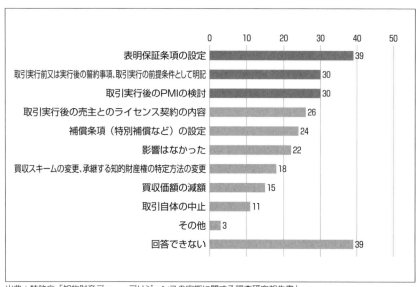

出典：特許庁「知的財産デュー・デリジェンスの実態に関する調査研究報告書」
　　　（（https://www.jpo.go.jp/support/startup/document/index/2017_06_zentai.pdf）

● 知財デューデリジェンスの内容

　「知的財産デュー・デリジェンスの実態に関する調査研究報告書」は、近時の文献を参酌したうえで公的にまとめられている点に一つの意義があり、そこに示されている標準手順書には、下図のようにデューデリジェンスにおける調査項目と調査資料が例示されています。

● デューデリジェンスの調査項目と調査資料 ●

調査項目	調査資料
対象会社の価値源泉となる技術等の分析	企業情報データベース、有価証券報告書、製品等カタログ、取扱説明書　など
対象技術等の利用可能性・利用可能範囲	出願書類、登録原簿、ライセンス契約書　など
対象会社の知的財産関連紛争の調査	訴訟記録、紛争一覧、紛争対応についての専門家意見書　など
第三者権利の侵害リスク調査（FTO調査）	対象会社保有知財一覧、先行技術文献　など
ガバナンス調査	知的財産基本方針、知的財産管理規程、職務発明規程　など
価値評価	特許明細書、先行技術調査、特許庁特許情報プラットフォーム　など

出典：特許庁「知的財産デュー・デリジェンスの実態に関する調査研究報告書」
（https://www.jpo.go.jp/support/startup/document/index/2017_06_zentai.pdf）より著者作成

　たとえば、対象会社の技術に着目してM&Aを検討している場合に、調査項目（大項目）「対象技術等の利用可能性・利用可能範囲」に属する調査項目（中項目）として「（権利化されている場合）権利範囲の調査」があり、調査項目「第三者権利の侵害リスク調査（FTO調査）」に属する調査項目として「対象会社の技術等と同技術領域・同事業領域に属する他社特許・技術等の調査」がありますが、これらは重要であるものの、十分に行われないことも多いようです。デューデリジェンスには予算的、時間的な制約がありますが、調査がM&Aの目的との関係で不十分ではリスクを検討したことになりませんので、注意が必要です。

4 並行輸入と知的財産権

並行輸入の権利非侵害要件は特許権、商標権、著作権で異なる

● 並行輸入とは

　並行輸入とは、外国メーカーの偽物でない真正な商品（真正商品）について、正規代理店を通さずに別ルートで輸入することです。外国の有名メーカーの時計やバッグなどが正規代理店で高額で販売されている場合に、並行輸入品はそれよりも安く販売されるので、並行輸入には高い需要があります。

　日本で特許権や商標権等の知的財産権を持つメーカーの真正商品が、日本国内で販売されて流通に置かれた場合に、その真正商品を入手して使用したり販売したりする行為には、知的財産権の効力は及ばないとされています（これを、知的財産権は販売により目的を達成して使い果たされた（消尽した）として、「**消尽（国内消尽）**」といいます）。

　ところが、知的財産権は国ごとに効力がありますので、外国と日本で特許権を持つ外国メーカーの真正な特許製品が、外国で販売されて日本

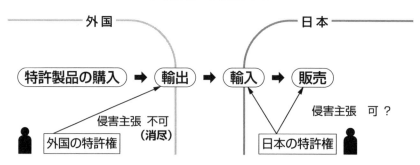

● 特許権の国際消尽 ●

22

に並行輸入されるような場合に、外国の特許権はその国で消尽している
としても、その外国メーカーが、改めて日本の特許権を日本国内で行使
することができるかどうかが問題になります。

● 並行輸入と特許権

外国において特許権者により販売された特許製品を購入した並行輸入
業者が、それを日本に輸入して販売する行為は、国際的に消尽した（日
本の特許権の侵害にはならない）といえるのでしょうか。

知的財産権に関しては、「**属地主義の原則**」[2]が国際的に広く受け入れ
られています。また、日本も加盟する工業所有権の保護に関するパリ条
約（[9]項を参照）は、「**特許独立の原則**」[3]を定めており、従来は、日本
国内において並行輸入品を譲渡等する行為は、日本の特許権の侵害にな
るとの考え方が有力でした。

しかし、自動車用アルミホイールの並行輸入が問題になったBBS事件
の最高裁判決（最判平成9年7月1日）は、特許製品が国外で譲渡され
た事情を日本の特許権の行使の可否についてどのように考慮するかは、
もっぱら日本の特許法の解釈の問題であって、パリ条約や属地主義の原
則とは無関係であるとしました。

そのうえで、国際消尽については認めなかったものの、特許権者が日
本国外において特許製品を譲渡した場合に、譲受人に対しては、その特
許製品の販売先、使用地域から日本を除外する旨を譲受人との間で合意
した場合を除いて、また、譲受人からの転得者に対しては、その合意を
したうえで合意内容を特許製品に明確に表示した場合を除いて、特許権
を行使することは許されないと判断しました。同判決は、その理由とし
て、特許製品を国外において譲渡した場合に、その後にその製品が日本

2）ある国において成立した特許権の効力は、その国の法律によって定められ、その国の領域内にお
　いてのみ認められるという原則です。
3）ある国において、ある発明について成立した特許権は、その発明について他の国において成立し
　た特許権とは相互に独立した関係にあるという原則です。

国内に輸入されることが当然に予想されることに照らせば、特許権者が留保を付さないまま特許製品を国外において譲渡した場合には、譲受人及びその後の転得者に対して、国内において譲渡人の有する特許権の制限を受けないでその製品を支配する権利を黙示的に授与したものと解すべきと述べています。

● 並行輸入と商標権

外国において商標権者により販売されたブランド品を購入した並行輸入業者が、それを日本に輸入して販売する行為については、商標権の性質が特許権の性質と異なることから、特許権の場合とは異なる考え方をします。

かつては、商標権者は日本で登録商標を使用する権利を専有しており、商標権者の許諾を得ないで登録商標の付された商品を並行輸入すると、商標権の侵害になるとの考え方が一般的でした。

しかし、商標「PARKER」を付した万年筆を日本に並行輸入しようとして税関で止められた原告が、その商標についての日本の専用使用権[4]者である被告に対し、差止請求権の不存在の確認等を求めたパーカー事件の判決（大阪地判昭和45年2月27日）は、商標の出所識別及び品質保証の各機能が害されていないとの理由で、原告の輸入販売行為は商標保護の本質に照らし実質的には違法性を欠き、権利侵害ではないと判断しました（この判決に合わせて税関の運用も変更されました）。

また、商標の並行輸入について最高裁が初めて判断を示したフレッドペリー事件の判決（最判平成15年2月27日）では、以下の三つの要件を満たす真正商品の並行輸入は、商標の出所表示機能及び品質保証機能（43項を参照）を害することがなく、商標の使用をする者の業務上の信用及び需要者の利益を損なわず、実質的に違法性がないということができる

4）専用使用権とは、商標権者の設定により、商標権者に代わって登録商標を独占排他的に使用することができる権利のことです。

から、商標権の侵害に当たらないとしました。

① 並行輸入された商品に付された商標が、輸入元の外国における商標権者又はその商標権者から使用許諾を受けた者により適法に付されたものであること

② 輸入元の外国における商標権者と日本の商標権者とが同一人であるか、法律的又は経済的に同一人と同視し得るような関係にあることにより、並行輸入された商品の商標が日本の登録商標と同一の出所を表示するものであること

③ 並行輸入された商品と日本の商標権者が登録商標を付した商品とが、その登録商標の保証する品質において実質的差異がないと評価されること

　現在、並行輸入が商標権侵害に当たるかどうかの実務上の判断は、この①〜③の要件を基準として行われています。これらの要件が一つでも欠ければ、輸入行為や輸入した商品の販売行為は商標権侵害になりますから、たとえ輸入商品が税関を通っても、その販売前には①〜③の要件がすべて満たされていることを慎重に確認する必要があります。

● 並行輸入と著作権

　著作権法は、著作物の利用方法によって複製権や譲渡権、貸与権等の権利を細かく定めており、これらを総称して著作権といいます（36頁を参照）。そして、著作権法において、譲渡権については国際消尽が規定されているので、映画の著作物等の例外を除いて著作物又は複製物の並行輸入が認められています。

　なお、譲渡権について国際消尽は認められていますが、著作権者に無断で著作物をコピーしたりレンタルしたりすれば、著作権（複製権、貸与権）の侵害になります。

5 グローバル化、IoT時代の知財制度

各国での制度調和や情報共有が進んでいる

● 企業活動のグローバル化と各国知財制度の調和

　企業活動のグローバル化に伴い、日本企業は、アメリカにおける先行技術開示義務（IDS）の負担、ヨーロッパにおける出願維持費用の負担、中国における実用新案権・意匠権の濫用、インドにおける審査の遅延、アジア諸国全般における不正商品（模倣品・海賊版）の多発などの知財制度上の課題に直面しています。

　知財制度のユーザーである企業に生じる課題を緩和・解消すべく、各国による制度・運用の調和は絶え間なく行われていますが、そのなかで、2013年にアメリカの特許制度が先発明主義から他国と同じ先願主義へ移行したことは大きな出来事でした。

　また、ヨーロッパでは、国境を越えて効力を有する欧州単一特許と欧州統一特許裁判所の仕組みが検討されています。

　各国は情報共有にも取り組んでおり、日本国特許庁（JPO）、アメリカ特許商標庁（USPTO）、ヨーロッパ特許庁（EPO）、中国国家知識産権局（CNIPA）及び韓国特許庁（KIPO）の五庁は、各国特許庁の特許出願の手続や審査に関連する情報（ドシエ情報）を共有可能とするシステム（ワン・ポータル・ドシエ）を構築しています。さらに、世界知的所有権機関（WIPO）もドシエ情報共有システム（WIPO-CASE）を構築しており、日本では、独立行政法人工業所有権情報・研修館（INPIT）が運営するウェブサイトの特許情報プラットフォーム（J-PlatPat）において、五庁及びWIPO-CASEに参加している複数庁に出願された発明のドシエ情報を見ることができます。

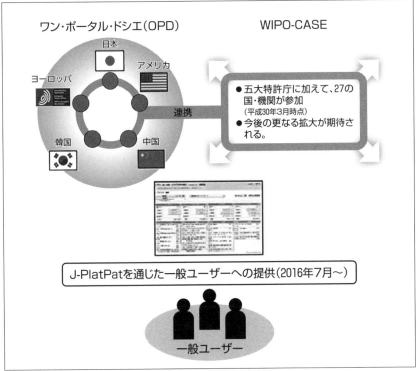

● 各国の情報共有の取組み ●

ワン・ポータル・ドシエ（OPD）　　　WIPO-CASE

日本
ヨーロッパ　アメリカ

連携

韓国　中国

● 五大特許庁に加えて、27の国・機関が参加（平成30年3月時点）
● 今後の更なる拡大が期待される。

J-PlatPatを通じた一般ユーザーへの提供（2016年7月〜）

一般ユーザー

出典：特許庁「五庁特許出願・審査情報の共有に向けた取組について」
（https://www.jpo.go.jp/news/kokusai/ip5/godai_patent_kyouyu.html）などをもとに著者作成

● IoT時代に対応する知財制度

　IoT（Internet of Things）、AI（Artificial Intelligence）などの技術革新による第４次産業革命の時代にあって、知財制度がどうあるべきかについては、いまも検討の途上にあります。たとえば、IoTにより収集した大量のデータをAIにより分析・学習し、新たな価値やサービスを提供する場合について、収集される生のデータやAIによる創造物を法的に保護するための制度は完備されていません。

● IoT時代の技術保護 ●

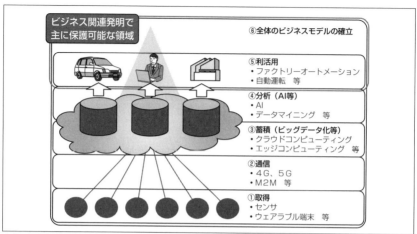

出典：特許庁「ビジネス関連発明の最近の動向について」
（https://www.jpo.go.jp/system/patent/gaiyo/sesaku/biz_pat.html）をもとに著者作成

　IoT関連技術を特許の枠組みで有効に保護するために、特許庁は、「特許・実用新案審査基準」及びその附属書において、コンピュータソフトウエアを必要とするIoT関連技術について次のような内容を例示しています。

- ・情報の単なる提示にすぎないデータ（たとえば、デジタルカメラで撮影された画像データ）は、発明に該当しないこと
- ・データの有する構造によりコンピュータが行う情報処理が規定される「構造を有するデータ」又は「データ構造」は、発明に該当し得ること
- ・学習済みモデルは、「プログラム」であることが明確であれば発明に該当し得ること

　また、価値あるビッグデータを保護するため、不正競争防止法では「限定提供データ」という新たな概念を導入し、その不正取得や不正使用に対し、差止請求権や損害賠償請求権等の民事上の救済措置が認められるようになっています（51項を参照）。

6 TPP協定・RCEP協定と知財制度

TPP協定により著作権の保護期間は50年から70年に

●TPP協定とは

　環太平洋パートナーシップ（TPP）協定は、アジア太平洋地域の国々で、物品の関税撤廃だけでなくサービス、投資の自由化を進め、知的財産、電子商取引、国有企業の規律、環境などの幅広い分野でのルールを構築する経済連携協定（EPA）です。オーストラリア、ブルネイ、カナダ、チリ、日本、マレーシア、メキシコ、ニュージーランド、ペルー、シンガポール、アメリカ及びベトナムの12か国で交渉が進められ、2016年２月にニュージーランドで署名されました。日本は、2017年１月に国内手続の完了を寄託国のニュージーランドに通報し、TPP協定を締結しました。

　その後、2017年１月にアメリカが離脱を表明し、アメリカ以外の11か国で早期発効を目指して協議が行われ、2018年３月にチリで「環太平洋パートナーシップに関する包括的及び先進的な協定（TPP 11協定）」が署名され、同年12月30日に発効しました。

　TPP協定に参加する11か国の国内総生産（GDP）は世界の約13％、総人口は約５億人で、2021年にはイギリス、中国、台湾が加入を申請しています。

●TPP協定による知財保護

　TPP協定は、第18章において知的財産について規定し、特許、商標、地理的表示、意匠、著作権等に関して広範なルールを定めています。そして、このルールに適合するように、各国の関連法も改正されます。

日本では、12か国で協議していたTPP協定（TPP12協定）の内容に従って、特許法、著作権法等の法律を改正するためのTPP整備法（環太平洋パートナーシップ協定の締結に伴う関係法律の整備に関する法律）が2016年12月に公布されました。一方、TPP11協定は、TPP12協定のうち、知的財産に関するものを含む22項目を凍結（停止）したうえで合意・署名に至ったので、TPP整備法もTPP11協定の内容に合わせて変更されるのか注目されていました。しかし、凍結された内容も盛り込まれたTPP整備法に規定されている特許法や著作権法等の改正は、凍結された内容を除外することなく、そのまま施行されることになりました。

● TPP協定による特許法・商標法の改正

　TPP協定により、特許法は、

① 　出願から５年、審査請求から３年を超過した特許出願の権利化までに生じた不合理な遅滞についての特許期間の延長

② 　新規性喪失の例外期間（特許出願前に自ら発明を公表した場合等に、公表日から12月以内にした特許出願についての発明は、その公表により新規性等が否定されないとする期間）の延長

が義務付けられました。①については、審査が早い日本の特許出願では影響は限定的と思われ、②については、TPP協定の発効前に特許法が改正され、施行されていました。

　また、TPP協定により、商標法は、商標の不正使用について、法定損害賠償制度または追加的損害賠償制度を設けることが義務付けられ、商標法には、商標の不正使用による損害賠償請求時に、その登録商標の取得及び維持に通常要する費用に相当する額を損害額として請求することができる旨の規定が追加されました。

● TPP協定による著作権法の改正

　TPP協定により、著作権法は、

① 映画を含む著作物、実演またはレコードの保護期間を、自然人の生存期間に基づいて計算される場合には、著作者の生存期間及び著作者の死から少なくとも70年とし、自然人の生存期間に基づいて計算されない場合には、その著作物、実演若しくはレコードの権利者の許諾を得た最初の公表の年の終わりから少なくとも70年、または、その著作物、実演若しくはレコードの創作から一定期間内に権利者の許諾を得た公表が行われない場合には、その著作物、実演若しくはレコードの創作の年の終わりから少なくとも70年とすること

② 故意による商業的規模の著作物の違法な複製等を非親告罪[5]とすること

③ 著作権等の侵害について、法定損害賠償制度または追加的損害賠償制度を設けること

が義務付けられました。①により、保護期間が従来の50年から20年間延長され、②により、それまで著作権や著作隣接権侵害の刑事罰について、著作権者等の告訴がなければ公訴を提起することができませんでしたが（親告罪）、告訴がなくても国が起訴、処罰できるようになりました。

また、③については、既に著作権法には損害額の算定規定がありましたが、侵害された著作権等が著作権等管理事業者（41項を参照）によって管理されている場合は、その使用料規程に基づいて算出した額を損害額とすることができる旨の規定が新設されました。

●RCEP協定とは

地域的な包括的経済連携（RCEP）協定は、ASEAN10か国（ブルネイ、カンボジア、インドネシア、ラオス、マレーシア、ミャンマー、フィリピン、シンガポール、タイ、ベトナム）、日本、中国、韓国、オーストラリア及びニュージーランドによる経済連携協定で、TPP協定からアメリカが離脱し、その復帰が不透明ななかで、注目を集めています。

5）被害者などの告訴権者の告訴がなくても検察官が起訴することができる犯罪のことです。

日本は、2020年11月にRCEP協定に署名し、国会での手続も完了しており、2022年1月からRCEP協定が発効します。

　RCEP協定に参加する15か国のGDPは世界の約3割、総人口は約23億人で、日本の貿易総額の約5割を占める地域との巨大な自由貿易圏が誕生することになります。

　RCEP協定は、第11章において知的財産について規定し、各締約国に手続の簡素化・透明化、知的財産の保護強化、エンフォースメント強化を求めています。

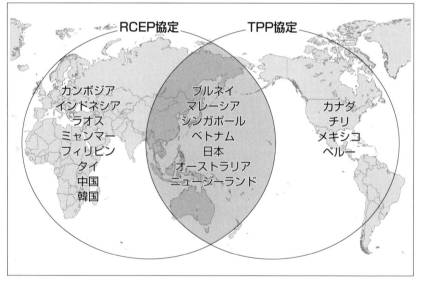

◉ TPP協定とRCEP協定の参加国 ◉

(2021年11月1日現在)

RCEP協定　　　TPP協定

カンボジア　　　ブルネイ　　　　カナダ
インドネシア　　マレーシア　　　チリ
ラオス　　　　　シンガポール　　メキシコ
ミャンマー　　　ベトナム　　　　ペルー
フィリピン　　　日本
タイ　　　　　　オーストラリア
中国　　　　　　ニュージーランド
韓国

7 農林水産物と知的財産

地域団体商標、地理的表示、品種登録により保護される

● 農林水産関連の知財制度

　農林水産業は、他の産業と比べると知的財産との関係が希薄に思われるかもしれません。しかし、「知的財産」は、知的財産基本法第２条で「発明、考案、植物の新品種、意匠、著作物その他の人間の創造的活動により生み出されるもの（発見又は解明がされた自然の法則又は現象であって、産業上の利用可能性があるものを含む。）、商標、商号その他事業活動に用いられる商品又は役務を表示するもの及び営業秘密その他の事業活動に有用な技術上又は営業上の情報」と定義されているように、植物の新品種その他の「知的活動や事業活動によって生み出された無体物のうち財産的価値があるもの」を広く含みます。実際には、第一次産業にもノウハウ（有用な情報や秘訣）やブランドなどの多くの知的財産があり、経営資源として活用されています。

　農林水産分野で重要な知財制度としては、地域団体商標制度、地理的表示（GI）保護制度及び種苗法の品種登録制度があり、種苗法は令和２年に改正されました。

● 地域団体商標制度（商標法７条の２）とは

　地域団体商標とは、「地域名＋商品名」からなる商標に関する商標法の規定です。このような商標は、通常であれば自他の商品を識別することができないとして、全国的な知名度がない限り登録されませんが、以下の条件を満たすことによって、例外的に地域団体商標として登録することができます。

① 加入の自由が担保されている組合や特定非営利活動法人（NPO）
　　などの地域に根ざした団体が出願人であり、商標が団体の構成員に
　　使用させるものであること
② 地域の名称と商品が関連性を有すること
③ その商標が一定の地域で知られていること

　地域団体商標は、登録されれば通常の登録商標と同様の保護を受ける
ことができます。すなわち、権利者である団体とその構成員が地域団体
商標を独占排他的に使用することができ、第三者が同一または類似する
商標を無断で使用すれば、商標権を行使可能です。

● 地域団体商標の登録例 ●

地域団体商標	商標権者
静岡茶	・静岡県経済農業協同組合連合会 ・静岡県茶商工業協同組合
大間まぐろ	・大間漁業協同組合
吉野杉	・奈良県木材協同組合連合会 ・奈良県森林組合連合会

● 地理的表示保護制度とは

　「地域名＋商品名」等の地理的表示が、地域に根ざした優良な商品を
示す場合に、登録によってその地理的表示を保護する制度です。日本の
各地には、伝統的な生産方法や気候・風土・土壌などの生産地の特性が、
品質の特性などに結びついている産品が数多くあります。海外でも多く
の国が地理的表示を知的財産として保護していますが、日本では平成27
年から農林水産省（農水省）で登録が認められるようになりました。地
理的表示は、Geographical Indicationの頭文字をとって「GI」とも呼び
ます。
　地理的表示を登録できるのは、加入の自由が定められた生産工程を管

理する生産者団体です。生産者団体は、産品の特性を確保するための生産工程管理業務規程を作成し、加入する生産者にこれを守らせます。

　地理的表示の登録には、産品の特性が生産地域との結びつきを有する（寒暖の差が激しい地域であるため産品の甘みが強くなるなど）ことが求められ、概ね25年以上の生産実績が必要です。登録にあたっては、生産地、特性、生産方法、産品の特性と生産地の関係等について説明した明細書を提出します（なお、商標権者が承諾している場合を除き、登録商標と同じ名称は地理的表示として登録することができません）。

　地理的表示の登録により、登録団体に加入する生産者・販売者は、登録産品やその加工品等に地理的表示を使用することができ、加えて農水省のGIマークも使用することができます。そして、登録団体の非加入者が地理的表示を使用し、または、登録産品以外に地理的表示を使用すると、地理的表示の不正使用となり、国（農林水産大臣）が不正な表示の除去・抹消を命じます。この命令に従わないと、５年以下の懲役または500万円以下の罰金が科されます。

◉ GIマークと地理的表示の例 ◉

地理的表示	登録生産者団体
夕張メロン	夕張市農業協同組合
市田柿	みなみ信州農業協同組合
東根さくらんぼ	果樹王国ひがしね６次産業化推進協議会

出典：農林水産省ウェブサイト（https://www.maff.go.jp/j/shokusan/gi_act/gi_mark/）

● 品種登録制度（種苗法の育成者権）

　種苗法の品種登録制度は、植物の新品種の育成者（開発者）に新品種の利用に関する独占権（育成者権）を与えて、育成者を保護する制度です。植物の新品種の開発には多くの時間や費用を要しますが、開発された新品種は第三者が簡単に増殖することができるため、特許制度と同様

に、育成者にも独占利用権が与えられます。

　権利を取得する場合、育成者は農水省に願書と種子や種菌（きのこの場合）を提出して出願を行い、審査を経て品種登録簿に登録されると、育成者権が発生します。審査では、主に以下の条件が求められます。

・区別性―――既存品種と重要な形質で明確に区別できること
・均一性―――同一世代でその形質が十分類似していること
・安定性―――増殖後も形質が安定していること
・未譲渡性―――出願日の１年より前に、出願品種の種苗や収穫物を譲渡していないこと
・名称の適切性―品種の名称が既存の品種の名称や登録商標と紛らわしくないこと

　保護期間は品種登録日から原則25年で、登録の効果として、育成者権者は、業として登録品種及び登録品種と特性により明確に区別されない品種の種苗、収穫物及び一定の加工品を利用する権利を専有します。

　また、育成者権の効力は、従属品種や交雑品種にも及びます。そして、第三者が育成者権者に無断で登録品種の種苗や収穫物等を利用することは育成者権の侵害となり、育成者権者は侵害者に対して差止めや損害賠償を請求することができます。さらに、種苗法には、刑事罰として懲役や罰金も規定されています。

　近年、わが国の優良品種が海外に流出し、無断で増殖されて第三国に安く輸出され、わが国の農林水産物の輸出の障害となっていました。このような事態に対応するため、令和２年改正の種苗法により、令和３年４月からは登録品種について輸出先国や栽培地域を指定できる制度、登録品種であることや制限事項に関する表示義務、職務育成規定などが施行され、令和４年４月には登録品種の増殖の許諾制度が施行されます。

第**2**章

知財制度の歴史と特徴

知財制度の歴史

特許制度は600年、商標制度は800年

● 世界の特許制度の歴史

　1421年、イタリアのヴェネツィアでは、大聖堂の建設に必要な大理石運搬船の発明について世界で最初の特許が与えられ、1474年には、世界最古の成文特許法である「発明者条例」が公布されました。この発明者条例には、新規で独創的な発明を一定期間保護すること、公的機関への特許の登録制度、裁判所の判定による特許の侵害者への罰則などが定められていました。

　今日の特許制度の基本的な考え方が明確化されたのは、1624年（1623年とする文献もあるようです）にイギリスで成文特許法として制定された「専売条例」であるといわれています。専売条例は、制定後なかなか利用が進みませんでしたが、18世紀半ばから産業革命が始まると、その利用が急速に伸び、産業革命を後押ししました。

　アメリカでは、1787年に制定された連邦憲法において、「連邦議会の立法権限」として「著作者及び発明者に対し、一定期間その著作及び発明に関する独占的権利を保障することにより、学術及び有益な技芸の進歩を促進する権限」が規定され、初代大統領のジョージ・ワシントンが率先し、国務長官（後に第三代大統領）のトーマス・ジェファーソンが中心になって、1790年に特許法が制定されました。

　フランスでは、1791年に最初の特許法が制定され、ドイツでは、1877年、世界初の審査公告主義を採用した特許法が制定されました。

● 日本の特許制度の歴史

　鎖国などの閉鎖的な政策をとっていた江戸時代は、1721年の「新規法度」のお触れ（享保６年７月５日の触）が「新製品を作ることは一切まかりならぬ」とするなど、発明の奨励とは相反する風潮にありました。しかし、1853年のペリー来航を皮切りに欧米列強の日本進出が始まると状況が変わり、福沢諭吉は、著書『西洋事情』において、特許制度の必要性を説いています。

　明治時代になると、1871年（明治４年）に日本で最初の特許法である専売略規則が公布されました。ただ、翌年、その執行は停止されてしまい、1877年（明治10年）に第１回内国勧業博覧会に出品された臥雲辰致の発明品（和式綿紡機）は、高い評価を受けましたが、多数の模倣品が出現しました。

● 臥雲辰致出品の綿紡機 ●

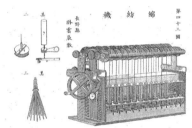

出典：国立国会図書館ウェブサイトより転載

　その後、近代化が急務との観点から特許制度整備の必要性が再認識され、1885年（明治18年）、実質的に日本最初の特許法といわれる「専売特許条例」が公布されました。高橋是清が起草した「専売特許条例」は、1888年（明治21年）に「特許条例」、1899年に「特許法」に改められ、1905年（明治38年）には特許制度を補完する実用新案法が制定されました。

1921年（大正10年）に改正された特許法では、ヨーロッパの影響を受けて個人の財産権の保護、職務発明の保護などが盛り込まれるとともに、先発明主義から先願主義に移行しました。この大正10年法が1959年（昭和34年）に全面的に改正され、現行法となっています。

● 意匠制度・商標制度の歴史

　意匠の保護については、1580年、イタリアのフィレンツェの織物組合の規則が新規の意匠考案者に対して意匠を専用する権利を付与したといわれ、フランスのリヨンの執政官が1711年に絹織物業界における図案の保護を目的として発した命令が法制度の始まりといわれています。

　イギリスは、1787年に意匠保護の条例を制定し、アメリカは、1842年に特許法で意匠の保護を規定し、ドイツでは、1876年に意匠又は模型の考案に関する法律が制定されました。

　日本における意匠の保護は、1888年（明治21年）の意匠条例に始まります。意匠条例も、特許条例と同様に、1899年（明治32年）に「意匠法」に改められ、大正10年改正を含む数次の改正を経て、1959年（昭和34年）に全面改正されたものが現行の意匠法です。

　商標の保護については、イギリスのヘンリー3世の時代である1266年に、ベーカリーが自らのパンを他のベーカリーのものと区別するためにマークを使うことを定める法律が制定されたといわれています。

　19世紀になって、1857年にフランスで製造標及び商業標に関する法律が制定され、イギリスでは、1862年に虚偽表示を禁止する商品標法が、1875年に商標登録法が制定されました。アメリカでは、1870年に商標登録に関する連邦法が制定され、ドイツでは、1874年に無審査主義に基づく商標保護法が制定された後、1894年に審査主義に変更されました。

　日本における商標の保護は、1884年（明治17年）の商標条例に始まります。商標条例は、1899年（明治32年）に「商標法」に改められ、大正10年改正を含む数次の改正を経て、1959年（昭和34年）に全面改正され

たものが現行の商標法です。

● 著作権制度の歴史

　著作物、特に宗教的な書物は大量生産の必要性があったところ、15世紀の活版印刷機の発明により、聖書がヨーロッパ社会に普及しました。そして、大量印刷技術がさらに発達すると、書物の海賊版が出回るようになり、イギリスでは、1710年、版権を保護するアン法がアン女王の下で制定されました。このアン法の流れを汲み、アメリカでは1790年に、フランスでは1793に著作権法が制定されました。

　その後、1886年にスイスのベルンで国際的な著作権保護条約であるベルヌ条約が締結されましたが、ベルヌ条約は**無方式主義**（著作権の発生に特別な方式は不要で、創作と同時に著作権が発生するとの考え方）を採り、**方式主義**（著作権の発生に登録等の方式が必要との考え方）のアメリカなどが参加しないことが問題になりました。そこで、1952年に成立した万国著作権条約は、無方式主義を採るベルヌ条約加盟国の著作物であっても、©マーク・著作権者・発行年の表記により、方式主義の国において保護を受けられるとして、方式主義の国とベルヌ条約加盟国の橋渡しをしました[1]。

　日本では、1870年（明治2年）に出版取締りに重点を置いた出版条例が制定され、1888年（明治20年）には出版条例から版権保護の部分が分離されて版権条例が制定されるとともに、脚本楽譜条例、写真版権条例が制定されました。1894年（明治26年）、版権条例に多少の修補を加えた版権法が制定され、1899年（明治32年）には版権法、脚本楽譜条例及び写真版権条例に代わる著作権法が制定され、同年、日本はベルヌ条約に加盟しました。この著作権法は昭和45年に全面的に改正され、現行法となっています。

1）現在は、アメリカほか方式主義を採っていた多くの国が無方式主義に転じ、ベルヌ条約に加盟しています。

9 国際ルールと各国の独自性

19世紀から統一ルールの必要性は認識されていた

● 工業所有権の保護に関するパリ条約

　1878年、フランスのパリで第3回パリ万博が開催されることになり[2]、各国は当時の先端技術を用いた製品を出品しようとしました。しかし、出品しても模倣されるようでは出品を躊躇せざるを得ないので、特許等の工業所有権の保護に関する国際会議が開かれました。この会議では、工業所有権について国際的な協定の締結の必要性が決議されるとともに、世界的な統一的法規を定めることについても討議されましたが、各国の法制が大きく異なることから、統一的法規を定めるのは時期尚早とされました。

　その後、1880年にパリで開かれた外交会議で起草され、1883年に11か国によって追加最終議定書とともに調印され、1884年に批准された協定が、工業所有権の保護に関するパリ条約（**パリ条約**）です。この条約は、締約国が工業所有権の保護のための同盟を形成することを定め、日本は、江戸時代末期の開国後に締結した諸外国との不平等条約を解消する意図もあり、1899年に加盟しました。

　パリ条約は、複数回の改正を経て現在に至るまで、知的財産に関する最も基本的な国際ルールとして存続しています。

● パリ条約以降の国際ルール

　知的財産に関する国際ルールは、パリ条約を皮切りに次々と制定され、

2）ちなみに、日本が初めて参加した国際博覧会は、1867年に開催された第2回パリ万博で、江戸幕府、薩摩藩、佐賀藩が出品しました。

代表的なものを示すと、下表のとおりです。

◉ 知的財産に関する国際ルール ◉

	制定年	日本加入年
文学的及び美術的著作物の保護に関するベルヌ条約	1886	1899
虚偽の又は誤認を生じさせる原産地表示の防止に関するマドリッド協定	1891	1953
標章の登録のための商品及びサービスの国際分類に関するニース協定	1957	1989
実演家、レコード製作者及び放送機関の保護に関する国際条約（ローマ条約）	1961	1989
意匠の国際分類を定めるロカルノ協定	1968	2014
特許協力条約（PCT）	1970	1978
国際特許分類に関するストラスブール協定	1971	1977
許諾を得ないレコードの複製からのレコード製作者の保護に関する条約（ジュネーブ条約）	1971	1978
特許手続上の微生物の寄託の国際承認に関するブダペスト条約	1977	1980
標章の国際登録に関するマドリッド協定の議定書	1989	2000
知的所有権の貿易関連の側面に関する協定（TRIPS協定）	1994	1994
商標法条約（TLT）	1994	1997
著作権に関する世界知的所有権機関条約（WCT）	1996	2000
実演及びレコードに関する世界知的所有権機関条約（WPPT）	1996	2002
特許法条約（PLT）	2000	2016
商標法に関するシンガポール条約（STLT）	2006	2016
意匠の国際登録に関するハーグ協定のジュネーブ改正協定	1999	2015

　これらの国際ルールのうち多くのものは、**世界知的所有権機関**（WIPO）により管理、運営されています。WIPOは、知的財産に関する国連の専門機関で、その本部はスイス（ジュネーブ）にあり、ブラジル

（リオデジャネイロ）、中国（北京）、日本（東京）、ロシア（モスクワ）、シンガポールに事務所があります。

　また、これらの国際ルールのうち、特に国際的に事業を展開する企業が知的財産の権利化のために利用するものが、特許の国際出願制度を規定する**特許協力条約**（PCT）、意匠の国際登録制度を規定する**ハーグ協定のジュネーブ改正協定**、商標の国際登録制度を規定する**マドリッド協定の議定書**です。

◉ 国際出願制度の比較 ◉

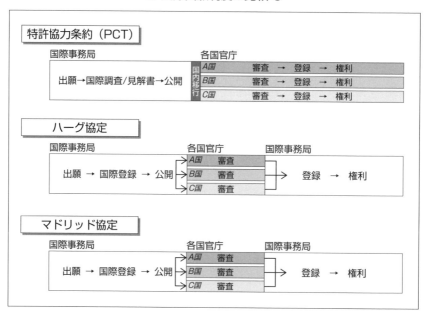

● 各国の知財制度の独自性

　知的財産権については属地主義の原則が認められ、パリ条約も特許独立の原則などを規定している中で、各国は独自に知財制度を発展させてきました。一方、多数の国際ルールが制定され、特に企業の国際活動が盛んになった20世紀の後半以降は、各国の知財制度の調和が進んでいま

す。近年の経済連携協定（EPA）や自由貿易協定（FTA）は、知的財産に関する所定の国際ルールへの加盟を義務付けているので、知財制度の国際的調和を図らなければ、国際的な連携の輪の中に入れなくなっている状況ともいえます。つまり、各国の知財制度は、調和する方向に向かいつつあるものの、なお独自性を有しているというのが今日の状況です。

　たとえば、多くの国で採用されている**出願公開制度**（出願から一定期間の経過後に特許出願の内容が公開されるもの）は、アフリカのほとんどの国では採用されていません。また、特許出願について出願審査請求手続を待って実体審査が開始される出願審査請求制度は、アメリカのような主要国でも採用されていないことがありますし、そもそも実体審査を行わない国もあります。

　意匠制度については、意匠をデザイン特許として保護する国もあれば、実体審査を行わない国も多数あり、日本にはない異議申立制度を採用している国もあります。商標制度については、アメリカやフィリピンのように商標の使用を保護の条件とする国もありますし、一出願多区分制度を採用していない国もあります。

　著作権については、各国で保護期間に差があるほか、アメリカのようにフェアユースの抗弁（著作権侵害に当たらない正当な理由）を認める国もあります。

　さらに、法制度としてはあまり差がないようにみえても、行政手続や司法判断などの運用面で各国の独自性が顕在化することもあるので、各国の知財制度の利用には、その国の専門家の助言や関与が必要です。

10 知財事件特有の訴訟制度

特許訴訟は東京地裁、大阪地裁と知財高裁で審理される

● 知財事件の裁判管轄

　知財制度に知財事件の訴訟制度も含まれるとすると、知財制度の特徴の一つは、その訴訟制度にあります。日本において、たとえば特許権侵害訴訟は、民事訴訟全体の1000分の１程度の件数しかありませんが、民事訴訟法は、そのわずかな特許事件のために特別の裁判管轄を規定しています。具体的には、特許権や実用新案権、プログラムの著作物についての著作者の権利等の技術的な権利に関する訴えは、東京地方裁判所（東京地裁）と大阪地方裁判所（大阪地裁）の管轄に専属するとしています。

　日本全国には、地方裁判所の本庁が50、支部が203、簡易裁判所が438ありますが、特許権者が特許権侵害訴訟を提起しようとすると、選択肢はそのうちの二つにまで絞られることになります。特許権侵害訴訟以外の訴訟でも、700近くある裁判所のどこに提起してもよいわけではないのですが、とはいえ、地方の権利者が提訴するのに東京地裁か大阪地裁の二択ということは通常はありません。

　また、東京地裁や大阪地裁で出された判決に不服があるときは、知的財産高等裁判所（知財高裁）が設置されている東京高等裁判所（東京高裁）に控訴することになります。

　これは、知財事件、とりわけ技術的な事項を審理する特許事件等は専門的で、全国どこの裁判所でも取り扱うことが困難なので、知的財産専門部がある東京地裁と大阪地裁、知財高裁に事件を集中させるためです。

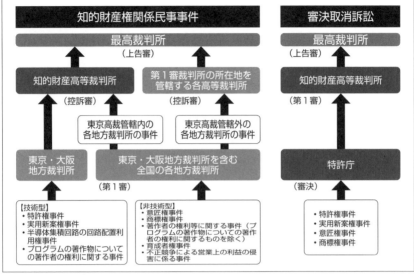

◉ 審決取消訴訟と民事控訴事件の管轄 ◉

知的財産権関係民事事件

最高裁判所
（上告審）

知的財産高等裁判所
（控訴審）

第1審裁判所の所在地を
管轄する各高等裁判所
（控訴審）

東京高裁管轄内の
各地方裁判所の事件

東京高裁管轄外の
各地方裁判所の事件

東京・大阪
地方裁判所

東京・大阪地方裁判所を含む
全国の各地方裁判所
（第1審）

【技術型】
・特許権事件
・実用新案権事件
・半導体集積回路の回路配置利
用事件
・プログラムの著作物について
の著作者の権利に関する事件

【非技術型】
・意匠権事件
・商標権事件
・著作者の権利等に関する事件（プロ
グラムの著作物についての著作
者の権利に関するものを除く）
・育成者権事件
・不正競争による営業上の利益の侵
害に係る事件

審決取消訴訟

最高裁判所
（上告審）

知的財産高等裁判所
（第1審）

特許庁
（審決）

・特許権事件
・実用新案権事件
・意匠権事件
・商標権事件

出典：知財高裁ウェブサイト
（ https://www.ip.courts.go.jp/tetuduki/jurisdiction/index.html ）より

● 東京地裁と大阪地裁の体制

　現在、東京地裁では民事第29部、第40部、第46部、第47部が、大阪地裁では第21民事部、第26民事部が知的財産権専門部です。

　知財事件以外の一般的な民事第一審訴訟事件は、多くの場合、1名の裁判官で審理されますが、知的財産権専門部では、3名の裁判官の合議体で事件が審理されます。

　また、たとえば東京地裁には、行政部や商事部、労働部、交通部等があるので、知的財産権部が唯一の専門部ということではありませんが、控訴審に知財高裁のような専門裁判所が控えているのは、知財事件だけです。

● 知財高裁と大合議事件

　知財高裁は、知財事件を専門的に取り扱う東京高裁の特別の支部とし

て[3]、知的財産高等裁判所設置法に基づいて2005年に設立されました。その設立過程では、東京、大阪、名古屋、広島、福岡、仙台、札幌、高松の各高等裁判所に続く9番目の独立した高等裁判所とする案もありましたが、最終的には東京高裁の支部とする案が採用されました（なお、知的財産専門の裁判所は、アメリカ、イギリス、ドイツ、中国、韓国、台湾、タイ、シンガポールなどにもあります）。

知財高裁は、民事控訴事件（特許権、実用新案権及びプログラムの著作物についての著作者の権利等に関する訴えの控訴事件や、意匠権、商標権、著作者の権利（プログラムの著作物についての著作者の権利を除きます）、不正競争による営業上の利益の侵害等に係る訴えの控訴事件のうち東京高裁の管轄に属する事件）のほか、行政事件（特許庁が行った審決、決定に対する不服申立てとしての審決取消訴訟）も扱いますが、刑事事件は扱いません。

知財高裁の特徴として、第1部から第4部までの四つの通常部のほかに、特別部（大合議部）の存在が挙げられます。通常部では、3名の裁判官からなる合議体で審理が行われますが、特に審理において高度な専門的、技術的事項が問題になる事件や、その結果が企業活動や産業経済に与える影響が大きい事件については、5名の裁判官からなる合議体（大合議体）で審理が行われます。

また、知財高裁は、最高裁レベルではなく高裁レベルにおける早期の事実上の判断統一を大合議制度の目的としており、これまでに終結した大合議事件（すべて特許権に関する事件）の判決のうち、最高裁により破棄されたものは1件にとどまっています。

3）高等裁判所の「特別」でない支部には、名古屋高等裁判所の金沢支部、広島高等裁判所の岡山支部と松江支部、福岡高等裁判所の宮崎支部と那覇支部、仙台高等裁判所の秋田支部があります。

11 差止請求権による救済

知的財産権の真髄は強力な差止請求権にある

● 知的財産権の侵害に対する救済

　特許権、実用新案権、意匠権、商標権または著作権を侵害された権利者は、侵害者に対し、過去の侵害行為については損害賠償、不当利得返還、信用回復措置を請求することができ、現在または将来の侵害については差止めを請求することができます。同様に、不正競争防止法に規定された不正競争行為についても、損害賠償、不当利得返還、信用回復措置、差止めを請求することができます。これらの請求は、多くの場合、まず当事者間でのやり取りにより行われ、そこでまとまらなかった場合に、裁判所に訴訟が提起されます。

● 知的財産権侵害の救済方法 ●

過去の侵害に対する救済	・損害賠償請求 ・不当利得返還請求 ・信用回復措置請求
現在または将来の侵害に対する救済	・差止請求

　裁判所を通じてこれらの民事的な救済を求めるには、権利侵害の事実や損害額などを権利者側が主張・立証しなければなりません。しかし、権利侵害の事実を権利者側が収集可能な証拠で立証するには、困難を来たすことがありますし、損害額も、民法の不法行為に関する考え方（損害額＝不法行為がなかった場合の仮想的な利益状態—不法行為により不利益を被った現実の利益状態）だけでは算定が難しいことから、特許法、

実用新案法、意匠法、商標法、著作権法及び不正競争防止法には、損害額の算定規定が設けられ、権利者側の立証負担の軽減が図られています。たとえば、特許法には、次の三つの算定方法が規定されています。

● 損害額の算定方法（特許法） ●

i　損害額 ＝ 侵害者による侵害品の譲渡数量
　　　　　 × 権利者（特許権者または専用実施権者）が侵害行為がなければ販売することができた物の単位数量あたりの利益
　　　　　　　（ここまでの計算結果が権利者の実施能力を超える場合には、実施能力に応じた額）
　　　　　 － 譲渡数量の全部または一部の数量を権利者が販売することができない事情があるときの当該事情に相当する数量に応じた額

ii　損害額 ＝ 侵害者が侵害行為により得た利益

iii　損害額 ＝ 実施料相当額

　一般的には、iiiの算定方法は、i、iiの算定方法より損害額が低くなり、i、iiの算定方法は、権利者自身が特許発明を実施していなければ認められません。

　また、判決では、寄与率という概念により、各算定方法で算定した損害額が減額されることがあります。

● 差止請求権の威力

　差止請求権とは、他人の違法な行為により自己の利益が侵害され、または、侵害されるおそれがある場合に、その行為をやめるように請求することができる権利です。

　たとえば、出版の差止めのように法令上の規定はなく、解釈上、差止めが認められることもあります。ただし、そのハードルは高く、北海道知事選の候補予定者に関する記事の差止めが問題になった北方ジャーナル事件の最高裁判決（最判昭和61年6月11日）は、「その表現内容が真実でなく、又はそれが専ら公益を図る目的のものではないことが明白であつて、かつ、被害者が重大にして著しく回復困難な損害を被る虞があるとき」に限って、例外的に差止めが許されるとしました。差止めに厳しい要件が課されるのは、差止めは、被請求者の自由や社会的、経済的な活動を制限する強力なものだからです。

　これに対し、会社法、消費者契約法等の限られた法令には、差止請求権が明記されており、その限られた法令の中に、特許法、実用新案法、意匠法、商標法、著作権法及び不正競争防止法が含まれています。

　特許権等の侵害を理由に差止請求訴訟が提起されると（または、その訴訟の提起前に侵害行為の停止を求める仮処分が申し立てられると）、被疑侵害者が侵害の事実はないと考えていても、被疑侵害者から被疑侵害品を購入している取引先が購入を控え、購入済みの被疑侵害品につき

◉ 差止請求権の行使による取引先の離反 ◉

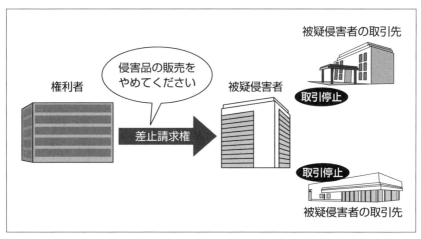

返品・返金を求めることもあります。訴訟は結論が出るまでに何年もかかるので、たとえ判決で非侵害が認められたとしても、その間途絶えてしまった取引を挽回することは難しく、被疑侵害者のビジネスが廃れてしまうことも、さらには被疑侵害者の存続自体が危うくなることもあります。すなわち、差止請求権は、判決で認められるかどうかという以前に、法定されていることによって威力を発揮し、知的財産権の真髄は差止請求権にあります。

● 差止請求権の制限

差止めは、被請求者に与える影響が甚大で、それが常に認められると好ましくない事態も生じますから、独占禁止法（私的独占の禁止及び公正取引の確保に関する法律）、権利濫用の抗弁、特許（登録）無効の抗弁、裁定実施権の設定により制限されることがあります。

アップル対サムスン事件の決定（東京地決平成25年2月28日）では、FRAND宣言（標準規格に関する必須特許の権利者による公正、合理的かつ非差別的な〈Fair, Reasonable And Non-Discriminatory：FRAND〉条件で他社に実施を許諾することの表明）がされた特許に関し、誠実に交渉を行うべき信義則上の義務を尽くすことなく差止請求権を行使することは、権利濫用に当たり許されないとされています。

12 情報開示の推進

インターネットは知財情報の宝庫

● インターネットによる情報開示

　最近ではインターネットで様々な情報が得られるようになりましたが、知的財産の分野に関しては、比較的早い時期から、国が情報開示を推進してきました。外国の官庁等も知財情報の開示に積極的で、インターネットは知財情報の宝庫となっており、技術開発に余念がない外国企業は、日本で公開されている特許情報にアクセスしてフル活用しているといわれています。

● 特許庁による情報開示

　特許庁のウェブサイトでは、特許、実用新案、意匠、商標についての制度、手続、支援情報、各種資料などが公開されています。企業を代理して特許出願等を行う弁理士も、最新の料金を確認したり、審査基準・審判便覧を参照したり、馴染みのない手続や外国の制度を調べたりするために、特許庁のウェブサイトを活用しています。

　また、企業にとって、どのような出願がされているのか、どのような権利が存在するのかを調査することは、他者の権利を侵害しないように製品を開発したり、商標を決めたりするために必須です。

　かつては、その調査のために、特許庁が発行する公報を業者から購入したり、特許庁に出かけて紙の公報を手めくりで閲覧したりすることもありましたが、1996年に特許庁のウェブサイトが開設され、1999年に特許電子図書館（IPDL）と称してインターネット上での公報無料検索サービスが開始されると、知財情報を居ながらにして無償で入手すること

ができるようになりました。IPDLは、2004年からは独立行政法人工業所有権情報・研修館（INPIT）により運営され、2015年から**特許情報プラットフォーム**（J-PlatPat）にサービスが引き継がれています。

● 経産省による情報開示

経済産業省（経産省）のウェブサイトでは、不正競争防止法と知的資産経営報告書に関する情報が充実しています。知的資産経営とは、知的財産を含む自社の知的資産（知的財産以外に人材、技能、組織力、経営理念、顧客とのネットワーク等の企業における競争力の源泉を含む、経営資源の総称）をしっかりと把握し、それを活用することで業績の向上に結び付ける経営のことで、ウェブサイトには、様々な業種の企業が作成した知的資産経営報告書が開示されています。

● 文化庁による情報開示

文化庁のウェブサイトでは、「著作権」のページが設けられ、著作権制度の解説資料や各種手続、海外における著作権の保護等に関する情報が得られます。特許庁管轄の産業財産権[4]と異なり、著作権は登録を要することなく発生し、実名の登録、創作年月日の登録等の登録制度は存在するものの、ほとんどの著作物について登録は行われていません。したがって、ありとあらゆる著作物を調べられるわけではありませんが、文化庁のウェブサイトでは、著作権等登録状況検索システムが提供されています。

なお、著作権に関する各種の情報は、公益社団法人著作権情報センター（CRIC）のウェブサイトでも提供されており、特に日常生活や日常業務で著作権に関する疑問が生じた場合には、こちらのサイトが参考になります。

4）知的財産権のうち、特許庁が所管する特許権、実用新案権、意匠権及び商標権のことで、以前は「工業所有権」と呼ばれていました。

● 裁判所による情報開示

　裁判所のウェブサイトと知的財産高等裁判所（知財高裁）のウェブサイトでは、裁判例を検索・閲覧することができ、一般的な民事事件については閲覧可能な裁判例が限られていますが、知財事件についてはほとんどの裁判例が閲覧可能となっています。

　また、裁判所のウェブサイトの中にある東京地方裁判所知的財産権部のページでは、「知的財産権訴訟における和解条項例集」が提供されています。この条項例集は、訴訟で和解する場合に限らず、訴訟外で合意書などを作成する場合にも有用です。

● 外国官庁等による情報開示

　外国の特許情報の検索によく利用されているウェブサイトとして、ヨーロッパ特許庁（EPO）が提供するEspacenet、世界知的所有権機関（WIPO）が提供するPATENTSCOPEがあります。

　官庁ではありませんが、アメリカのGoogleが提供するGoogle Patentsも直感的な検索が可能で便利です。

● 知財関連の各ウェブサイトのURL ●

特許庁	https://www.jpo.go.jp/
J-PlatPat	https://www.j-platpat.inpit.go.jp/
経産省（知的財産）	https://www.meti.go.jp/policy/economy/chizai/index.html
文化庁（著作権）	https://www.bunka.go.jp/seisaku/chosakuken/
CRIC	https://www.cric.or.jp/
裁判所（裁判例検索）	https://www.courts.go.jp/app/hanrei_jp/search1
知財高裁（裁判例検索）	https://www.ip.courts.go.jp/app/hanrei_jp/search
和解条項例集 （東京地裁）	https://www.courts.go.jp/tokyo/saiban/wakai/index.html
Espacenet	https://worldwide.espacenet.com/
PATENTSCOPE	https://patentscope2.wipo.int/search/ja/search.jsf
Google Patents	https://patents.google.com/

知財価値評価

知財価値の金銭評価には三つのアプローチが存在する

知的財産の価値評価とは

知的財産の価値評価（知財価値評価）とは、知的財産権を含む知的財産の価値について、定性的または定量的（金銭的）に評価することです。

たとえば、知的財産である発明について、特許出願をするかどうか、特許出願後に出願審査請求をするかどうか、審査の過程で受けた拒絶理由通知に対応するかどうか、特許後に特許料を支払い続けるかどうかを判断する場合には、その発明の価値について定性的な評価が行われます。

また、知的財産権を譲渡・ライセンスする場合や現物出資に供する場合には、定量的な評価が必要になり得ますし、資金調達（出資者からすると出資判断）や税務・会計目的で評価が必要になることもあります。知的財産権の侵害訴訟における損害賠償額の算定も、知的財産権の定量的な価値評価ですし、知的財産権の価値が相続で問題になり、その評価が必要になることもあります。

弁理士の加入団体である日本弁理士会では、知的財産経営センターという組織が知財価値評価に関する事業を行い、裁判所や企業、公的機関からの依頼に応じて知財価値評価に精通した弁理士を推薦しています。

金銭的価値評価の三つのアプローチ

知的財産権は、企業が事業活動を行ううえで活用する権利ですから、その価値は、知的財産権を活用する企業にとっては高くなり、活用しない企業にとっては低くなるという性質があります。知的財産権の金銭的価値評価に絶対的な手法はなく、評価目的によっても、評価時期によっ

ても、評価人によっても評価額が異なります。

　知的財産権の金銭的価値評価に一般的に用いられる手法としては、インカム・アプローチ、マーケット・アプローチ、コスト・アプローチがあります。

● 知的財産権の金銭的価値評価手法 ●

	手法	概要
インカム・アプローチ	DCF法 （ディスカウンテッド・ キャッシュ・フロー法） －25％ルール	事業が将来生み出すフリー・キャッシュフロー（FCF）を現在価値に割り引いて算出した事業価値が「発明家」、「開発者」、「製造者」、「販売者」の4人により均等に生み出されたと仮定して、「発明家」に事業価値の4分の1が属するとするもの。
インカム・アプローチ	RFR法 （リリーフ・フロム・ ロイヤリティ法）	特許を自社で保有しているが故に支払わなくて済んだライセンス料を特許の価値とみなす方法。
マーケット・アプローチ	類似取引比較法	評価しようとしている特許や技術に類似した特許・技術が市場でどれくらいの価値として取引されているかを調べ、それから価値を類推する。
コスト・アプローチ	原価法 （ヒストリック・コスト法）	知的資産の「取得に要したコスト」で評価する。
コスト・アプローチ	再構築費用法 （リプレイスメント・ コスト法）	知的財産を再構築するための費用を算出する。

　インカム・アプローチとは、知的財産権から期待される収益力に基づいて価値を評価する方法で、知的財産権によって将来獲得されるキャッシュ・フローを割引現在価値で求めます。インカム・アプローチは、知的財産権の貢献度をキャッシュ・フローで測定することから、評価額が将来的な事業性という観点からの理論的な価格となり、最高裁判決（最判平成18年1月24日）でも「特許権の適正な価額は…基準時における特許権を活用した事業収益の見込みに基づいて算定されるべきものである」として支持されています。また、インカム・アプローチは、将来のリスクも反映している点で優れていますが、不確実性が高いために収益予測が困難であることや、主観や経験的判断に陥りやすいことが問題点とし

て指摘されています。

　マーケット・アプローチとは、近似する知的財産権についての実際に行われた取引事例または市場取引価額などと比較することによって、相対的な価値を評価する方法です。マーケット・アプローチも、インカム・アプローチと同様に、知的財産権の将来の事業性やリスクを反映しますが、流通市場が未成熟な状況では適用が困難な場合が多いという問題があります。

　コスト・アプローチとは、知的財産権を取得するのに要した研究開発費などのコストを知的財産権の価値と考える方法です。コスト・アプローチの長所は、実際に発生したコストで測定するため、客観的な評価が容易な点にあります。反面、知的財産が持つ戦略性、事業性及びリスクを反映しないという短所があります。

● 外国における知財価値

　外国における高額な知的財産権の売買や訴訟における高額な損害賠償額が報じられることがありますが、特許庁が2018年に公表した「諸外国における知財価値の評価に関する調査研究報告書」では、諸外国において知的財産の価値が高いとの指摘は概ね事実であり、諸外国の先進企業は知的財産の価値について「事業価値への寄与（売上利益向上）」に加えて「企業価値への寄与（株価・企業の成長力の向上）」を認識していることなどから、知的財産の価値が高まり、知財評価の機会が多数生じているとまとめられています。

　中国では、知的財産権の取引市場となる国際知的財産権取引センターが設立されるとともに、2021年施行の専利法（特許法）第4次改正で懲罰的賠償制度の導入や法定賠償額の引上げが行われ、知的財産の価値が上向く潮流があります。

第**3**章

創作を保護する知的財産権

第1節　特許権・実用新案権

14 特許権の保護対象

特許権は技術的なアイデア（発明）を保護する

● 特許制度の目的と「発明」

　特許制度は、発明の保護及び利用を図ることにより発明を奨励し、産業の発達に寄与することを目的としており、特許権の保護対象は「発明」です。特許法上、「発明」は、「自然法則を利用した技術的思想の創作のうち高度のもの」と定義され、端的にいうと、簡単には思いつかない技術的なアイデアであって、かたちのないもの（無体物）です。

● 発明の要件 ●

要件	要件を満たさない例
自然法則を利用していること	・自然法則自体（例：エネルギー保存の法則、万有引力の法則） ・自然法則に反するもの（例：永久機関） ・自然法則を利用していないもの（例：自然現象、数学の解法）
技術的思想であること	・人の技量により結果が左右されるような技能（例：フォークボールの投球方法）
創作であること	・「発見」や「解明」のようななにも創り出していないもの（例：鉱石などの天然物の単なる発見）
高度なものであること	※この要件は、実用新案権の保護対象である「考案」と区別するためのもので、産業に大変革をもたらすような技術的な高度性は不要

　「自然法則を利用した技術的思想の創作」であるかどうかが問題になったものとして、経理知識が乏しい人でも貸借対照表を理解することができるように、その項目の配列を工夫した資金別貸借対照表があります（東京地判平成15年1月20日）。これについて、裁判所は、「一定の経済法

則ないし会計法則を利用した人間の精神的活動そのものを対象とする創作であり、自然法則を利用した創作ということはできない。」と判断しました。

また、「技術」は、一定の目的を達成するための具体的な手段であって、個人が持ち合わせている能力に左右されずに知識として他人に伝えることができる客観性や定量性が必要です。フォークボールの投球方法のような個人の力量に左右されるものは技術ではなく技能であって、発明に該当しません。しかし、その投球方法をピッチングマシンに反復可能に実行させることができれば、それを実現するための手段であるピッチングマシンは技術に該当し、発明になります。

● 発明の分類

発明は、無体物ですので、具体的に表現されなければ第三者が知り得ません。特許法では、発明は「物の発明」と「方法の発明」の二つのカテゴリーに分類され、方法の発明は、さらに、生産方法に関する発明と、生産方法以外の発明（単純方法の発明）に分類されています。したがって、発明を表現するに際しては、物なのか、生産方法なのか、単純方法なのかを明確に示す必要があります。

特許法で発明が分類されているのは、発明のカテゴリーによって、特許権者が発明を独占排他的に実施することができる行為（特許権の内容）が異なるからです。したがって、特許出願に際して発明のカテゴリーを決定する作業は、重要な意味を持ちます。

● 発明のカテゴリーと特許権の内容 ●

発明のカテゴリー	特許権の内容
物	物の生産・使用・譲渡・輸出入等
生産方法	方法の使用、方法で生産した物の使用・譲渡・輸出入等
単純方法	方法の使用

特許権が侵害された場合に、物の発明は、その物を入手することができれば侵害の立証は比較的容易です。これに対し、方法の発明は、部外者が立ち入ることのできない工場内で使用されていることも多く、侵害の立証は難しいといえます。たとえば、フタの開閉構造に関する発明（物の発明）であれば、被疑侵害品（特許権侵害が疑われる製品）にその構造が使用されているかどうかは、一目瞭然かもしれません。しかし、フタの製造方法に関する発明（生産方法の発明）では、フタの完成品を見ても、その製造工程を確認しない限りは製造方法を特定することが困難な場合があります。

● ビジネスモデルの保護

　「ビジネスモデル特許」という言葉は、2000年頃のブームで広く知られるようになりましたが、特許権の保護対象になるのは、あくまでも「自然法則を利用した技術的思想の創作」でなければなりません。

　特許庁が「ビジネス関連発明」と呼ぶ発明は、情報通信技術（ICT）を利用して実現されるビジネス方法に関するもので、昨今では、ICTと親和性の高いAIを活用してビジネスモデルを実現する発明が多く出願されています。たとえば、ファッションに合わせてたくさんのバッグを所有したいけれども、金銭的、収納スペース的にそれが困難な消費者のために、様々なテイストのバッグをレンタルする仕組みを思いついたとします。このような単なるビジネスの仕組みは、自然法則を利用しておらず、技術的思想も用いられていないため、特許権の保護対象にはなりません。しかし、コンピュータやスマートフォンを通じてユーザにより入力されたユーザの属性、好きなファッションのテイスト、好きな色などの情報をAIが分析し、サービス提供者が所有するバッグの中からユーザにぴったりのバッグを選び出してリコメンドするような機能を有するレンタルシステムやレンタル方法であれば、情報通信技術を利用した技術的思想の創作であるため、特許権の保護対象になります。

● 発明者の適格

　発明は人間の頭脳によって生み出されるもので、**自然人が発明者にな**
ります。特許法では法人の発明者は認められておらず、AIも発明者に
なりません。

　発明が完成すると、発明者には、「特許を受ける権利」という譲渡性
のある財産権が認められます（発明者が複数いる場合には、特許を受け
る権利は発明者全員の共有になります）。ある発明について特許出願す
るには、その発明について出願人が特許を受ける権利を有することが前
提で、発明者以外の第三者、たとえば、発明者が所属する企業が特許出
願をする場合には、その企業は発明者から特許を受ける権利を譲り受け
たうえで出願する必要があります。

　特許を受ける権利を他人に譲渡した発明者に残るものは、名誉権だと
いわれています。出願人でも特許権者でもない発明者は、他人へのライ
センスや権利行使をすることはできません。

15 特許権の効力と活用

特許権は企業経営の武器として活用できる

● 特許権の効力

　発明が完成すると、発明者には特許を受ける権利が認められます（14項を参照）。発明者または発明者から特許を受ける権利を譲り受けた譲受人が特許出願をして設定登録（特許）されると、特許権が発生します。特許権を持つ人を特許権者といいます。

　特許制度は、発明の保護及び利用を図って産業の発達に寄与するもので、発明の利用は、出願人による発明の公開と実施を通じて社会一般に発明利用の途を提供することにより実現されます。一方、発明の保護は、出願人に対し、一定期間、発明を支配する権利を与えることにより実現されます。つまり、**特許権者は、原則として出願の日から20年間、特許された発明（特許発明）を業として独占排他的に実施することができ、もし権原のない第三者が特許発明を実施すれば、その差止めや損害賠償**

● 日本の特許権侵害訴訟における高額な賠償額の例 ●

原告（特許権者） VS 被告	請求額	被告売上	認容額	年／裁判所
「重金属固定化処理剤事件」 東ソーVS ミヨシ油脂	約31億円	約475億円	約17億円	平成23年 知財高裁
「組合せ計量装置事件」 イシダVS大和製衡	約30億円	約219億円	約15億円	平成22年 大阪地裁
「マキサカルシトール事件」 中外製薬VS 岩城製薬等	約13億円	約87億円	約11億円	平成29年 東京地裁

などを請求することができます（11項を参照）。

　ここで、「業として」とは、広く事業としての意味で、営利性の有無は問われず、「実施」に該当する行為は、発明の種類によって異なります（14項を参照）。また、物の発明について特許されていれば、権原のない第三者が特許製品を製造する行為も販売する行為も特許権の侵害になりますが（実施行為独立の原則）、特許権者が日本国内で販売した特許製品を第三者が日本国内で業として使用することについては、特許権は販売により目的を達成して使い果たされた（消尽した）として、特許権の効力が及びません。

● 特許権の効力が及ばない場合

　特許権は発明の実施を独占できる、大きな力を持った権利ですが、その効力が無制限に及ぶとすると、産業の発達や公益の観点から好ましくない事態が生じます。そこで、特許権の効力は制限される場合があり、以下については第三者による特許発明の実施が特許権侵害になりません。

① 試験または研究

　　試験または研究は、技術を次の段階に進歩させることを目的としており、特許権の効力をこのような行為にまで及ぼすとかえって技術の進歩を阻害するため、特許権の効力が制限されます。

② 交通機関等

　　単に日本国内を通過するだけの船舶または航空機やこれらに使用される物には、国際交通の便宜を考慮して特許権の効力が制限されます。

③ 特許出願の時から日本国内にある物

　　特許出願時に存在する物にまで特許権の効力を及ぼすのは酷として、特許権の効力が制限されています。

④ 調剤行為または調剤医薬

　　調剤行為は医師または歯科医師が交付する処方箋により行われま

すが、薬剤師は処方箋に従うしかなく、医師等が処方箋を交付する
たびに調剤行為や調剤医薬が特許権と抵触するかどうかを判断する
ことは困難です。さらに、医師等の調剤行為には患者の健康を回復
させるという特殊な社会的任務があり、調剤行為または調剤医薬に
対する特許権の効力が制限されています。

⑤　法定通常実施権

　　第三者が特許出願に先立ち特許発明を実施していた場合、特許法
により、その第三者に通常実施権（特許発明を実施することができ
る債権的な権利）が認められることがあります（この通常実施権を
「**先使用権**」といいます）。

　　また、特許発明が不実施の場合、第三者が自らの特許発明を実施
するために必要な場合、公共の利益のために必要な場合には、特許
庁長官または経済産業大臣の裁定により通常実施権が認められるこ
とがあります。

⑥　専用実施権・許諾による通常実施権

　　特許権者が専用実施権（特許権者に代わって特許発明を独占排他
的に実施することができる物権的な権利）を設定した場合や通常実
施権を許諾した場合、専用実施権者や通常実施権者の行為に特許権
の効力は及びません。

● 特許権の活用

　特許権は、企業経営の武器として活用することができます。自社によ
り特許発明を実施する場合、特許発明が自社の製品に関するものであれ
ば、その製品の第三者による真似を防止するために特許権が活用され、
もし真似が顕在化して特許権が侵害されれば、特許権者は警告などによ
り特許権を行使します。これにより、他社との差別化の源泉となる発明
の価値が保護され、製品の価格や競争力の維持・向上、市場における信
用とシェアの獲得、特許権者の企業価値の向上につなげることができま

す。自社実施関連の特許権の効力を企業経営全体の中に組み込む例として、オープン&クローズ戦略（28項を参照）や標準化戦略があります。

　特許権は、自社実施に限らず事業上のパートナーとの関係で活用することもできます。たとえば、事業上のパートナーに専用実施権の設定や通常実施権の許諾により特許権をライセンスすることによって、特許権者自身が事業化のための投資や販路開拓などの負担を極力負わずに特許権で利益（ライセンス料）を得ることができます。また、他社との提携時に特許権があれば契約交渉を有利に進めることができ[1]、資金調達を受けた他社からの支配が強くなるような場合でも、特許権がその支配に対する砦になることもあります。特に特許権がベンチャー企業の代表者個人に帰属しているような場合には、出資企業がベンチャー企業の事業内容を吸収した後に離れて別途その事業を立ち上げることは難しくなりますし、出資企業が代表者に対して特許権のベンチャー企業への譲渡や現物出資を求めるならば、代表者は特許権の価値に見合う資金力や会社持分を得ることになり、いざというときに出資企業と渡り合うことができます。

1）クロスライセンスで提携相手の特許発明を無償または低廉で利用可能とすることも考えられます。

16 特許権取得の手続

出願、出願審査請求、拒絶理由通知対応が必要になる

● 特許出願から特許権成立まで

　特許権を取得するには、願書（特許願）と明細書、特許請求の範囲（「クレーム」ともいいます）、要約書及び必要な図面を特許庁に提出して特許出願を行い、審査を経て設定登録される必要があります。

● 特許出願の流れ ●

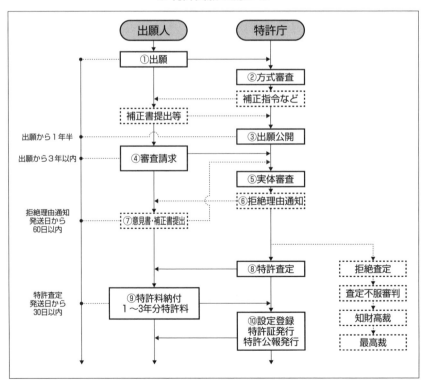

① 出願

出願書類（願書、特許請求の範囲、明細書、要約書、必要な図面）を特許庁にインターネットまたは郵送により提出します。郵送により出願書類を紙媒体で提出する場合には、電子化手数料の納付が必要です。

② 方式審査

出願書類の方式的な審査が行われ、書類・項目の不足や手数料の不足などの不備があると、出願人には補正や弁明書提出の機会が与えられます。不備が解消しない場合には、出願は却下されます。

③ 出願公開

出願の内容は、出願日から1年6か月経過後に特許庁から発行される「公開特許公報」で公開され、J-PlatPat（12項を参照）により誰もが閲覧することができます。公開の時期は、請求により早めることはできますが、遅らせることはできないので、公開が事業上のデメリットをもたらす場合には、出願時期に配慮する必要があります。

④ 出願審査請求

特許出願は、出願しただけでは実体的な審査が行われず、審査のためには出願日から3年以内に出願審査請求書を特許庁に提出しなければなりません。出願時点で早期に他社に特許権を行使したい場合には、出願と同日に出願審査請求を行うことがあります[2]。また、業界の動向をみながら権利範囲を確定したい場合や、権利の成否が不明な状態を利用して他社を牽制したい場合には、3年経過の直前に出願審査請求を行うことがあります。出願審査請求を行わなければ、出願は取り下げられたものとみなされます。発明の事業化が見送られたり、出願が他社の牽制や他社による特許権取得の阻止を目的としたものであったりすると、出願人は積極的に出願審査請求を

2）さらに、早期の審査を求める早期審査、スーパー早期審査の申請をすることもあります。

行いません。

⑤ 実体審査

　特許庁の審査官により、発明や出願が新規性・進歩性（17項を参照）、先願（18項を参照）などの特許要件を満たしているかどうかの審査が行われます。

⑥ 拒絶理由通知

　実体審査において出願が特許要件を満たしていないと判断されると、出願人に拒絶理由が通知されます。

⑦ 意見書・補正書提出

　拒絶理由通知に対し、権利化を目指す出願人は意見書や手続補正書を提出して拒絶理由の克服を試みます。拒絶理由通知への対応の詳細については、18項で説明します。

⑧ 特許査定

　拒絶理由を発見しない場合、審査官は特許査定をします。出願人が拒絶理由を一度も通知されることなく特許査定に至ることもありますが、なるべく権利範囲が広い特許権を取得するという観点からは、拒絶理由通知を経て審査官が許容する最も広範な権利範囲を作り込む過程を経たほうがよいとも考えられます。なお、出願人に通知した拒絶理由が解消しない場合は⑤〜⑦が繰り返され、最終的には拒絶査定をします（18項を参照）。

⑨ 特許料納付

　出願人は、特許査定を受け取った日から30日以内に１〜３年分の特許料（設定登録料）を納付します。

⑩ 設定登録・特許証発行

　１〜３年分の特許料が納付されると設定登録（特許）され、特許権が成立します。設定登録後、特許権者には特許証が送られ、特許権の内容は特許庁から発行される特許公報で公開されます。

　特許権の存続期間は、出願日から20年です。特許権者は、権利の

存続を希望する間は、毎年の特許料を特許庁に支払います。

● 特許出願のポイント

　特許権はビジネスで活用する権利で、その権利範囲が広くてビジネス上の汎用性が高いほど、活用しやすいという特性があります。そして、特許権の権利範囲は、特許請求の範囲と明細書の記載で定まる一方、明細書にも、特許請求の範囲にも、出願後に新たな事項を追記することはできません。ですから、まず発明者の考えをどのような発明と捉え、それを出願時に明細書と特許請求の範囲にどのように記載しておくのかが、ビジネスに有用な権利を取得するために非常に重要です。特許権の取得手続に弁理士が代理人として関与することが多いのもそのためです（ある新技術をどのような発明と捉えてどのように表現するかは、十人十色です）。出願書類の作成には、一言一句が特許権の価値を左右しかねないことを肝に銘じて臨むべきです（[17]項を参照）。

17 出願書類作成上の留意点

特許請求の範囲、明細書の記載が特許要件を満たすようにする

● 特許出願に必要な書類

特許出願の際には、願書（特許願）と、願書に添付する明細書、特許請求の範囲（クレーム）及び要約書と、必要な図面を提出します。願書は、出願人や発明者に関する情報を記載する書類です。願書の添付書類は、権利化後においては権利書としての機能及び技術文献としての機能を有します。また、特許請求の範囲及び明細書は、審査段階では特許要件を審査する審査官・審判官により、権利化後は特許の取消しや無効を目論む第三者により否定的な視点で読まれることが多く、その否定的な視点に耐えられる記載が求められます。

各書類の具体的な形式や記載方法は、独立行政法人工業所有権情報・研修館（INPIT）の知的財産相談・支援ポータルサイトや特許庁のウェブサイトで詳しく説明されていますが、大切なことは、特許請求の範囲及び明細書の記載が拒絶理由に該当しないように（特許要件を満たすように）書類を作成することです。

● 特許出願に必要な書類 ●

願書（特許願）	発明者・出願人に関する情報を記載
特許請求の範囲	出願人が特許権を取得したい発明を記載
明細書	特許請求の範囲に記載の発明について、第三者が実施可能な程度に具体例を用いて説明
図面	明細書の理解を助けるもの、必要に応じて任意に提出
要約書	発明の要点を簡潔に記載、公開特許公報の１ページ目に掲載される

「特許請求の範囲」の作成上の留意点

特許請求の範囲には、出願人が特許権を取得したい発明の内容を記載します。特許になるのは、産業上利用することができて、先行技術との関係で新規性、進歩性がある発明なので、そのための内容を検討して特許請求の範囲に明確かつ簡潔に記載する必要があります。

「産業」は、製造業のみならず農業、鉱業、運輸業などのサービス業を広く含み、

- ・人間を手術、治療する方法（いわゆる医療行為）
- ・個人的、学術的、実験的にのみ利用される発明のように事業として利用することができない発明（例：個人的に行われる喫煙方法）
- ・理論的には可能であっても、現実的に明らかに実施することができない発明（例：地球表面全体をフィルムで覆う発明）

などは、産業上利用することができません。したがって、特許されません。

新規性は、特許権が新規な発明の公開の代償として付与されるものであることから求められています。また、進歩性は、既存技術に対して進歩の度合が小さな技術にまで独占権を与えると、乱立する独占権が技術開発の足かせになり、かえって産業の発達を妨げることから求められています。新規性、進歩性は、出願の日時を基準に判断され、特許請求の範囲に記載する発明をやむを得ず出願前に関係者に開示する場合には、その関係者に守秘義務を課して新規性が失われないようにします[3]。

また、特許請求の範囲には、発明の単一性を満たす（技術的に密接に関連している）発明を請求項1、請求項2、…と項分けして必要な項数だけ記載することができます。請求項に係る発明の範囲は明確でなければならず、請求項ごとの記載は簡潔でなければなりません。

3）特許法には、発明の公開から1年以内に出願すれば、その公開により発明が新規性を失っていないとする新規性喪失の例外規定もあります。この規定を利用しても、他人が同一発明について先に出願したり公開したりすれば、自らの発明は新規性がなくなり特許されません。

特許請求の範囲は、明細書及び図面に記載された事項の範囲内であれば、一定の条件下で補正することができます。そこで、実務上は、なるべく広範な権利の取得を目指すため、補正を活用します。すなわち、最初は特許請求の範囲に、そのまま特許になれば広い権利範囲が得られるであろう発明を記載します。その後、先行技術との関係で新規性または進歩性に欠けるとの拒絶理由通知を受けた段階で、拒絶理由を回避するのに必要十分な程度で発明の範囲を狭める補正をすることにより、特許可能な最大限の権利範囲を作り込みます。その他、出願後に発明を利用した製品の改良が進み、特許請求の範囲に記載の発明と製品のずれが生じる場合や、特許請求の範囲に記載の発明では、権利行使したい他社製品が権利範囲から外れているような場合にも、特許請求の範囲を補正します。

● 「明細書」の作成上の留意点

　明細書は、特許請求の範囲に記載された発明を説明するもので、特許請求の範囲に記載された発明が余すところなく明細書に記載されている必要があります。もし、特許請求の範囲に記載された発明の全部または一部が明細書に記載されていなければ、または、特許請求の範囲に記載された発明がどのように実施可能か記載されていなければ、そのことが拒絶理由になります。

　また、特許請求の範囲の補正は、多くの場合、明細書の記載に基づいて行うことになります。このため、明細書には、特許請求の範囲に記載された発明について拒絶理由が通知された場合に、拒絶理由を解消するための補正に利用可能な内容をあらかじめ記載しておきます。

　明細書に記載すべき項目は定められており、出願人は、この項目に合わせて、特許を受けようとする発明を説明します。

● 明細書の主な記載項目 ●

発明の名称	発明の内容を簡潔に記載
背景技術 先行技術文献	特許を受けようとする発明に関する従来技術について、公開特許公報の文献番号などとともに記載
発明が解決しようとする課題	従来技術の問題点、発明が解決しようとする課題を記載
課題を解決するための手段	課題をどのように解決したのかについて記載 特許請求の範囲の記載と同様の内容を記載することも一般的
発明の効果	特許を受けようとする発明の効果を記載
発明を実施するための形態	特許を受けようとする発明の具体的な実施例を記載

●「図面」の作成上の留意点

　図面は、必要に応じて作成される書類で、必須ではありません。物の構造に関する機械分野の発明については、明細書の文章のみでは発明の説明が困難なことも多く、ほとんどの出願で図面が用いられます。一方、材料や組成物に関する化学分野の発明については、図面を用いて視覚的に説明する対象がないことが多く、図面は用いられないことがあります。その代わり、化学分野の発明では、明細書中で表や化学式が多用されます。

　図面には、発明の説明に適するように、構造図（全体構成図、部分拡大図、断面図など）やフローチャート、機能ブロック図など様々なものが使用されます。将来的に意匠登録出願に出願変更（19項を参照）する可能性があるのであれば、物品の六面図（意匠出願に必要とされる正面、背面、平面、底面、右側面、左側を含む物の形を特定するための図）を入れておくことも有効です。

18 拒絶理由通知への対応

指定期間内に手続補正書を提出して克服できることも

● 拒絶理由とは

　特許を受けるためには、発明や出願が特許要件を満たしている必要があります。特許法では、特許要件が拒絶理由の形で制限的に列挙されています。実体審査では、拒絶理由の有無が審査され、拒絶理由があれば出願人に通知され、拒絶理由がなければ特許になります。

● 主な拒絶理由 ●

新規性（29条1項）	請求項に記載した発明と同一の発明が、出願前の公報やインターネットなどで公開されている（17項を参照）
進歩性（29条2項）	請求項に記載した発明が、出願前の文献やインターネットなどで公開されているものから容易に思い付くものである（17項を参照）
先願／同日出願（39条）	請求項に記載した発明と同一の発明が、先／同日に出願されている
実施可能要件（36条4項1号）	明細書が、請求項に記載した発明をどのように実施するかがわかるように記載されていない
サポート要件（36条6項1号）	請求項に記載した発明が、明細書に発明として記載されたものと実質的に対応していない
明確性（36条6項2号）	請求項の記載に曖昧な表現や技術的な不備などがあり、発明を明確に把握できない
発明該当性／産業上の利用可能性（29条1項柱書）	発明（14項を参照）に該当しない 産業上利用できる発明に該当しない（17項を参照）
新規事項（17条の2　3項）	補正された事項が出願時の明細書等に記載した内容の範囲内にない
発明の単一性（37条）	技術的に関連性の低い二つ以上の発明が一つの出願に含まれている

主な拒絶理由のうち、産業上の利用可能性、新規性、進歩性などは⑰項で説明したので、ここでは先願と拡大先願について説明します。

① 先願

特許法は、同一発明について複数の出願があった場合、先の出願（先願）の出願人に特許権を付与する先願主義を採用しており、後の出願（後願）の出願人には、特許権が付与されません。すなわち、同一発明について他人の先願があると、後願の出願人は特許権が付与されないことになるので、発明の完成後はなるべく早く出願する必要があります。

同一発明について同日に複数の出願があった場合には、出願人同士の協議により定めた一の出願人に特許権が付与されます。

② 拡大先願

出願時に先願の公開特許公報や特許公報において既に公開されている発明と同一の発明には、新規性がありません。しかし、後願の出願時には公開されていない先願の明細書、特許請求の範囲または図面に記載された発明と後願の発明が同一の場合は、その後願の発明には新規性がありますが、いずれ公開される先願に記載の発明と同一なので、社会に新しい知見を提供するものではありません。このような考え方から、先願の出願書類に記載された発明であって後願の出願後に公開されたものと同一の後願の発明には、特許権が付与されず、後願の出願人には拒絶理由が通知されます。この拒絶理由は、①の先願の範囲を拡大するものであるため「拡大先願」と呼ばれます。

①の先願についての拒絶理由の審査では、先願の特許請求の範囲に記載された発明と後願の特許請求の範囲に記載された発明を比較しますが、拡大先願の拒絶理由の審査では、先願の出願書類全体に記載された発明と後願の特許請求の範囲に記載された発明を比較します。

また、①の先願の拒絶理由は、先願と後願の出願人が同一であっても適用されて後願が拒絶されますが、拡大先願の拒絶理由は、先願と後願の出願人または発明者が同一であれば、適用されません。

● 先願と拡大先願 ●

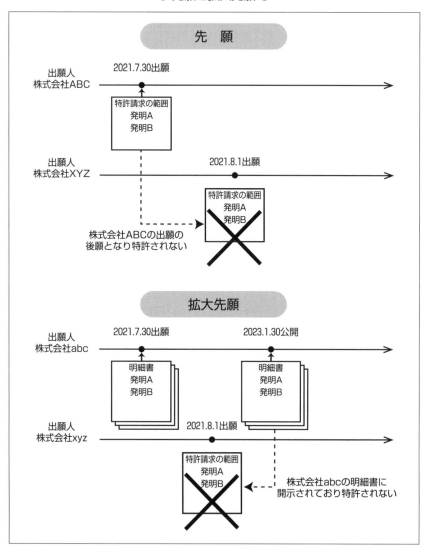

● 拒絶理由の克服

　拒絶理由通知では、審査官により、進歩性がない、発明が明確でないなどの拒絶理由の具体的な内容と、拒絶理由に該当すると判断した理由が示されます。拒絶理由通知を受け取った出願人は、審査官の判断を覆して拒絶理由を克服することが可能かどうかを検討し、克服可能と思われる場合には、指定された期間内における意見書や手続補正書の提出により拒絶理由通知に応答します。手続補正書は、拒絶理由が補正で解消する場合に提出しますが、その際、補正が適法な理由や拒絶理由が解消する理由を伝えるために、意見書を提出することもあります。また、拒絶理由が審査官の誤解に基づくような場合には、補正をすることなく意見書だけを提出します。実務上は進歩性に関する拒絶理由が多く、先行技術との差異を審査官に直接伝えたい場合などには、意見書や手続補正書の提出前に審査官と面談することもあります。

　一方、拒絶理由が克服困難と思われる場合には、出願人は拒絶理由に応答することなく放置したり、分割出願や変更出願をしたりします（19項を参照）。拒絶理由通知に応答しなければ、拒絶査定になり審査が終了します。

　出願人が拒絶理由通知に応答すると、審査官は、意見書や手続補正書を踏まえて再度審査を行い、改めて拒絶理由を通知するか、特許査定をするか、拒絶査定をします。

　拒絶査定に不服がある出願人は、拒絶査定不服審判を請求することができます。拒絶査定不服審判は、審査の上級審であり、審判官の合議体で審理されます。拒絶査定不服審判において拒絶理由が解消すれば、特許審決になりますが、拒絶理由が解消しなければ、拒絶審決になります。拒絶審決に不服がある出願人は、特許庁を被告として審決取消訴訟を知的財産高等裁判所（知財高裁）に提起することができ、知財高裁の判決は最高裁判所で争うことができます。

19 出願内容を変更するための制度

補正、訂正、分割・変更・優先権主張出願という方法がある

● 出願内容の変更の必要性

　出願時には必要な内容を盛り込んで作成したはずの出願書類も、後になって内容を変更したい場面に出くわすことがあります。特許制度は先願主義を採用しているので、出願書類の作成にあまり時間をかけることができず、出願時に先行技術を調査し尽くしたうえで、出願書類に何もかもを記載して出願することは難しいという問題があります。一方、審査や特許異議申立て、特許無効審判（[20]項を参照）では、予期せぬ先行技術により発明の新規性や進歩性を否定されることがあり、また、発明を適用した製品などの仕様が出願後に変わることもあるので、事業に適った特許権を取得、維持するために、以下の出願内容の変更が可能です。

● 補正と訂正

　出願人は、出願が特許庁に係属している間、手続補正書の提出により出願書類を補正することができます。補正が制限なく認められると第三者による将来の権利内容の予測が困難になり、審査の遅延を招くおそれもあるので、補正が可能な時期や目的が制限されています。補正は、出願当初の記載の範囲内で可能であり、補正により新規な事項を追加することはできません。

　特許権の成立後に誤記が発覚した場合や、特許の有効性を争われた場合には、特許権者は出願書類を訂正することができます。訂正は、訂正審判の請求（特許異議申立てまたは特許無効審判請求があったときは、訂正の請求）により行い、訂正の目的は、特許請求の範囲の減縮、誤記

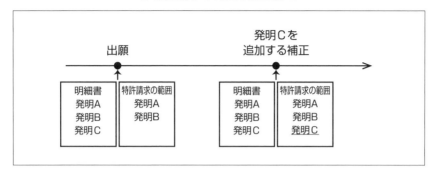

● 特許請求の範囲の補正例 ●

の訂正、明瞭でない記載の釈明などに限られます。

● 分割出願

　出願人は、出願書類に複数の発明が記載されている場合に、その一部を抜き出して新たな出願に分割する分割出願をすることができます。明細書に記載されていて特許請求の範囲に記載されていない発明があるとき、この発明について分割すると、分割出願（「**子出願**」とも呼ばれます）ではもとの出願（「**親出願**」とも呼ばれます）とは異なる発明の特許化を図ることができ、子出願は親出願の内容を変更するものといえます。

　また、分割出願は、審査において特許請求の範囲の請求項1に拒絶理由があり、請求項2に拒絶理由がないとされた場合に、請求項2の発明を分割して別途、早期権利化を図り、請求項1はそのまま拒絶理由を争うような場合にも利用されます。

　子出願は、親の出願の時にしたものとみなされ、子出願についての新規性や進歩性、先願などの特許要件は、親出願の出願時を基準に判断されます。

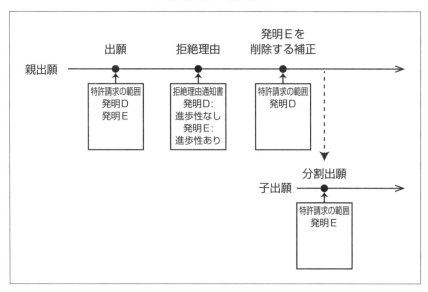

● 分割出願の利用例 ●

変更出願

　特許出願は、出願日を維持したまま実用新案登録出願、意匠登録出願と相互に出願形式を変更することができます。たとえば、審査で進歩性が否定された発明についての特許出願を意匠登録出願に変更すると、審査対象が発明から意匠に変わり、変更出願はもとの出願の内容を変更するものといえます。出願の変更があると、もとの出願は取り下げられたものとみなされる点が、分割とは異なります。

　特許出願から実用新案登録出願への変更は、出願書類の形式も共通しており容易ですが、特許出願から意匠登録出願への変更は、特許出願の図面に物品等の形態が十分に表れている必要があります。

優先権主張出願

　出願した発明のさらなる改良や試験によって、新たな実施態様や効果が判明したりすることがあります。既存の出願に事後的に実施態様や効

果などを追加することができればよいのですが、補正による新規事項の追加は認められていません。そこで、特許法には、先の出願から新規事項を追加した後の出願に乗り換えることができる国内優先権制度が規定されています。

国内優先権制度は、発明の実施態様、実験データまたは効果の追加、新規事項に該当しうるもので、補正では対応が難しい記載の修正などに活用され、優先権を主張した後の出願（優先権主張出願）は、先の出願の内容を充実したものに変更するものといえます。

後の出願の特許請求の範囲に記載された発明のうち、先の出願と重複する部分については、先の出願の出願時を基準として特許要件が判断され、先の出願に追加された部分については、現実の出願日を基準にその判断が行われます。

優先権主張出願は、先の出願の出願日から1年以内に可能で、優先権主張出願があると、先の出願は出願日から1年3か月で取り下げられたものとみなされ、出願公開されません。

◉ 優先権主張出願の利用例 ◉

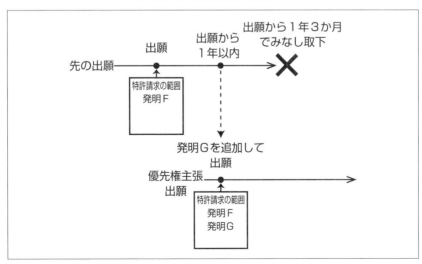

20 特許権を消滅させるための制度

異議申立てや無効審判を通じて消滅させることができる

● 特許権の消滅は審判官が判断

　ある企業が自社の事業の妨げとなる特許出願や特許権を見つけた場合や、特許権者から特許権を行使された場合、その出願や特許権に瑕疵があれば、特許権の成立を妨げたり消滅させたりすることができます。具体的には、特許異議申立て及び特許無効審判の請求、特許権の成立を阻止するための情報提供で行います。

　特許権は、特許庁の審査官（特許権が拒絶査定不服審判を経て成立するときは、審判官）により特許要件が満たされて拒絶理由がないと判断された場合に、「特許」という行政処分によって発生します。特許権を消滅させるには、その行政処分を見直して抹消しなければなりません。特許異議申立てでは、拒絶理由に類する取消理由があると審判官が判断したときに特許が取り消され、特許無効審判では、拒絶理由に類する無効理由があると審判官が判断したときに特許が無効になります。

● 特許異議申立て

　特許公報の発行日から6か月間は、特許の取消しを求めて特許異議の申立てをすることができます。特許異議申立制度は、特許庁が自らした特許の適否について判断し、瑕疵のある特許は取り消すことによって、特許権を早期に安定した権利とすることを目的としています。

　特許異議申立ての手続では、審判官の合議体が審理を行い、取消理由があれば、特許権者に意見書の提出や訂正の請求の機会を与えますが、取消理由がなければ、特許を維持する決定（維持決定）をします。特許

異議の申立人には、訂正の請求があった場合にのみ意見書の提出の機会が与えられます。特許権者の意見書提出や訂正請求にもかかわらず、取消理由が解消しなければ、審判官は特許を取り消す決定（取消決定）をします。特許権者は取消決定について取消訴訟を提起することができますが、申立人は維持決定について不服を申し立てることができません。

　特許異議は誰でも申し立てることができ、特許権者に実質的な申立人を知られないように、ダミーの申立人が申立てをすることもあります。また、請求項ごとに申し立てることができ、取り消された請求項に係る特許権は、はじめから存在しなかったものとみなされます。

● 特許異議申立ての概要 ●

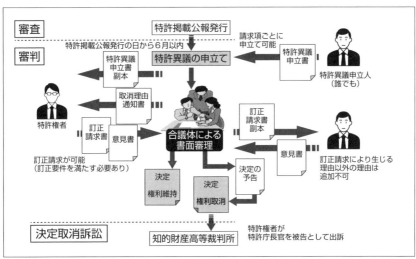

出典：特許庁「審判制度の概要と運用」
　　　（https://www.jpo.go.jp/system/trial_appeal/document/index/gaiyou.pdf）をもとに著者作成

● 特許無効審判

　利害関係人は、特許の無効を求めて特許無効審判を請求することができます。特許無効審判は、利害が対立する当事者が請求人、被請求人として対峙し、審判官の合議体を挟んで特許の有効性を争うもので、特許

無効審判における請求人、被請求人、審判官は、それぞれ、訴訟における原告、被告、裁判官のような立場で手続を進めます。特許無効審判の結論は、特許を維持する審決（維持審決）または特許を無効とする審決（無効審決）として出され、維持審決、無効審決のいずれについても取消訴訟を提起することができます。

　特許異議申立てと同様に、特許無効審判も請求項ごとに請求することができ、無効とされた請求項に係る特許権は、はじめから存在しなかったものとみなされます。また、特許異議申立てで維持決定が出された特許について、特許無効審判を請求することも可能です。

● 特許無効審判の概要 ●

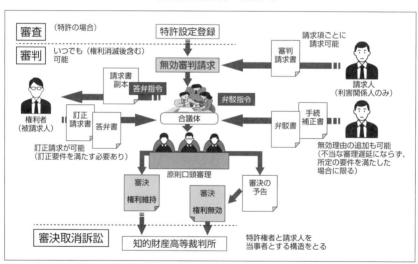

出典：特許庁「審判制度の概要と運用」
　　　（https://www.jpo.go.jp/system/trial_appeal/document/index/gaiyou.pdf）をもとに著者作成

● 情報提供

　特許権を直接的に消滅させるための制度ではありませんが、審査官、審判官が特許性を否定的に判断するための情報を特許庁に提供する仕組みとして、情報提供制度があります。情報提供は、出願後であれば、出

願段階でも、設定登録されて特許権が成立した後でも、いつでも行うことができます。また、匿名での情報提供も可能なので、誰が情報提供を行ったのかを出願人や特許権者に知られることなく行えます。

　よく利用されるのは出願段階の情報提供です。競合他社の公開特許公報の特許請求の範囲に自社の事業が抵触しそうな発明が記載されており、その発明が補正されることなくそのまま特許されると、自社の事業活動が特許権侵害に該当するおそれがある場合に、その発明の進歩性を否定するような文献を審査着手前の特許庁に情報提供することによって、権利化の阻止を図ることができます。情報提供した文献は、審査官が拒絶理由通知で必ず引用するわけではないので、情報提供が奏功しないこともあります。

◉ 特許異議申立て・特許無効審判・情報提供の比較 ◉

		特許異議申立て	特許無効審判	情報提供
制度趣旨		特許の早期安定化	特許の有効性に関する当事者間の紛争解決	特許庁の審査・審理の迅速化
手続できる者		誰でも（匿名不可）	利害関係人（匿名不可）	誰でも（匿名可）
時期		特許公報発行から6か月	特許権の成立後（消滅後も可）	出願後いつでも（権利化後含む）
主な理由	公益的事由（産業上利用可能性、新規性、進歩性、記載要件など）	○	○	○
	権利帰属に関する事由（冒認出願[※1]・共同出願違反[※2]）	×	○	×
	特許後の後発的事由（権利享有、条約違反[※3]）	×	○	×

※1：発明者または発明者から特許を受ける権利を譲渡された人以外の人による特許出願
※2：特許を受ける権利が複数人の共有である場合には共同出願しなければならない
※3：特許後に事後的に、外国人の権利能力欠如または条約違反の特許になったこと

21 職務発明制度

従業者と使用者の利益を調整するために定められている

● 職務発明制度とは

　会社の従業員が製品開発の過程で職務として発明した場合、この発明の取扱いが定まっていなければ、従業員が発明に対する権利を主張すると、会社はその発明を製品に利用できずに困ることになります。

　一方、会社が発明に対する権利を一方的に主張し、従業員に何も残らなければ、従業員に発明しようとする意欲が沸かなくなり、結局は会社にとっても、ひいては国全体としてみても、技術の進歩が停滞して望ましくありません。

　職務発明制度は、使用者、法人、国または地方公共団体（使用者等）が組織として研究開発活動を行う際に、この研究開発活動に携わる従業者、法人の役員、国家公務員または地方公務員（従業者等）が職務として発明をした場合、使用者等が安心してその職務発明（使用者等の業務

● 職務発明制度の目的 ●

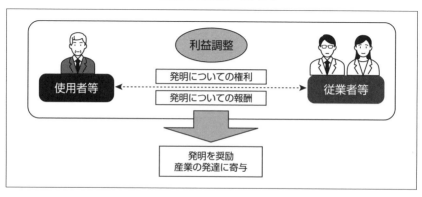

範囲に属し、かつ、発明をするに至った行為が使用者等における従業者等の現在または過去の職務に属する発明）を利用することができ、従業者等が使用者等によって適切に報われるように特許法が定めた制度です。

職務発明制度の概要

　職務発明について、特許法は、まず、使用者等は、従業者等が職務発明について特許を受けたとき、または、職務発明について特許を受ける権利（15項を参照）を承継した者がその発明について特許を受けたときは、その特許権について通常実施権（特許発明を実施する権利）を有すると規定しています。つまり、**職務発明については、たとえ使用者等以外の自然人や法人が特許権者になっても、使用者等は、その発明を通常実施権者として実施することができます。**

　しかし、実際には、使用者等が通常実施権者にとどまることは稀で、通常、使用者等は、自ら特許出願して特許権者になることを望みます。このため、特許法は、従業者等がした職務発明については、契約、勤務規則その他の定めにおいてあらかじめ使用者等に特許を受ける権利を取得させることを定めたときは、その特許を受ける権利は、その発生した時から使用者等に帰属するとも規定しています。

　また、特許法は、従業者等は、契約、勤務規則その他の定めにより職務発明について使用者等に特許を受ける権利を取得させ、使用者等に特許権を承継させたとき等は、相当の金銭その他の経済上の利益（相当の利益）を受ける権利を有すると規定しており、これらをまとめると、次のようになります。

① 原始使用者等帰属

　　契約、勤務規則等においてあらかじめ使用者等に特許を受ける権利を取得させることを定めた場合には、特許を受ける権利は、発生した時（発明が生まれた時）から使用者等に帰属し、従業者等は、特許を受ける権利を使用者等に取得させた場合、相当の利益を受け

る権利を有します。

② 原始従業者等帰属

契約、勤務規則等においてあらかじめ使用者等に特許を受ける権利を取得させることを定めていなかった場合には、特許を受ける権利は従業者等に帰属し（使用者等が特許出願をするには、従業者等から特許を受ける権利を譲り受けなければなりません）、従業者等は、特許を受ける権利等を使用者等に承継等させた場合、相当の利益を受ける権利を有します。

●「相当の利益」についての定め

ところで、従業者等にとっては、使用者等からどのような相当の利益を受けられるのかが重要な関心事ですが、これについて、特許法は、次のルールを定めています。

・契約、勤務規則等において相当の利益について定める場合、相当の利益の内容を決定するための基準の策定に際して使用者等と従業者等との間で行われる協議の状況、策定された基準の開示の状況、相当の利益の内容の決定について行われる従業者等からの意見の聴取の状況等を考慮して、その定めたところにより相当の利益を与えることが不合理であると認められるものであってはならない。

・経済産業大臣は、考慮すべき状況等に関する事項について指針を定めて公表する。

・相当の利益についての定めがない場合、または、その定めたところにより相当の利益を与えることが不合理であると認められる場合、相当の利益の内容は、その発明により使用者等が受けるべき利益の額、その発明に関連して使用者等が行う負担、貢献及び従業者等の処遇その他の事情を考慮して定めなければならない。

経済産業大臣が定めた指針（ガイドライン）では、相当の利益の付与手続の適正な在り方や、金銭以外の相当の利益の付与として「使用者等

負担による留学の機会の付与」「ストックオプションの付与」「金銭的処遇の向上を伴う昇進又は昇格」「法令及び就業規則所定の日数・期間を超える有給休暇の付与」「職務発明に係る特許権についての専用実施権の設定又は通常実施権の許諾」が考えられることが明示されています。

● 職務発明とガイドライン ●

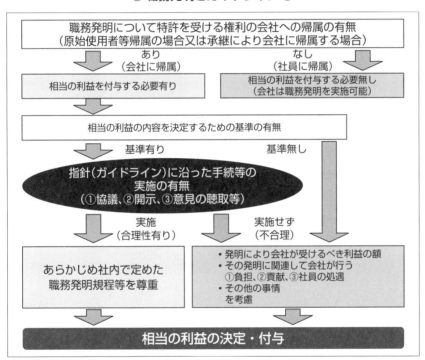

出典：特許庁「特許法第35条第6項の指針（ガイドライン）の位置づけ」
　　　（https://www.jpo.go.jp/system/patent/shutugan/shokumu/document/shokumu_guideline/flowchart.pdf）をもとに著者作成

職務発明規程の整備

　職務発明が生じ得る企業（使用者等）においては、職務発明規程を整備していなければ、職務発明について通常実施権を有するにとどまり、その発明についての特許権がライバル企業に渡ることも阻止することができません。

また、相当の利益の内容を決定するための基準を定めていなければ、職務発明ごとに、使用者等が受けるべき利益の額、その発明に関連して使用者等が行う負担、貢献及び従業者等の処遇、その他の事情を考慮して相当の利益の内容を決定しなければならず、その負担は小さくありません。

　さらに、職務発明規程の未整備が、優秀な技術者の定着に悪影響を及ぼすことも考えられるので、職務発明規程は中小企業であっても整備すべきです。

22 特許権侵害の判断

被疑侵害品とクレームを逐語対比して判断する

● 特許権の侵害とは

特許権は、特許権者が独占排他的に特許発明を実施することができる権利です。特許権者以外の第三者が特許発明を実施すると、特許権の侵害になり、特許権者は、その第三者に対し、損害賠償や差止め等を請求することができます（11項を参照）。

第三者が特許権を侵害しているかどうか、つまり、第三者が特許発明を実施しているかどうかは、原則として、第三者が実施（生産、譲渡、使用等）している物や方法が、特許発明の技術的範囲に属するかどうかで判断します。第三者が特許発明の技術的範囲に属する物や方法を実施しているとき、その第三者の行為は特許権の直接侵害に該当します。

また、第三者の行為が直接侵害に該当しない場合であっても、直接侵害を誘発する可能性が高い態様の行為であれば、間接侵害として特許権侵害行為とみなされます。

● 直接侵害

特許発明の技術的範囲は、特許請求の範囲（クレーム）の記載に基づいて定まります。たとえば、特許請求の範囲の請求項１に、人が座るとよい香りを発してリラックスさせる椅子の特許発明が次のように記載されているとします。

【請求項１】
使用者が着座する座部と、

95

前記座部の左右に設けられた一対の肘掛部と、

前記座部に設けられ、前記使用者の着座を検出する着座検出部と、

前記一対の肘掛部の少なくとも一方に設けられ、前記着座検出部が前記使用者の着座を検出すると芳香を発生させる芳香発生部とを有することを特徴とする椅子。

この場合、請求項1に記載された構成をすべて満たす椅子は、特許発明の技術的範囲に属し、請求項1に記載された構成を一部でも満たさない椅子は、特許発明の技術的範囲に属しません（権利一体の原則）。

請求項1の「椅子」では、よい香りを発する「芳香発生部」が「一対の肘掛部の少なくとも一方」に設けられていますから、「芳香発生部」が「肘掛部」以外の場所（「背もたれ部」等）に設けられていて、「肘掛部」に設けられていなければ、そのような椅子は特許発明の技術的範囲から外れ、第三者が製造、販売等しても特許権の侵害にはなりません。また、もし「肘掛部」が左右の一方にしかない椅子であれば、「一対の肘掛部」の構成を満たさないので、やはり技術的範囲から外れます。

◉ 侵害の例 ◉

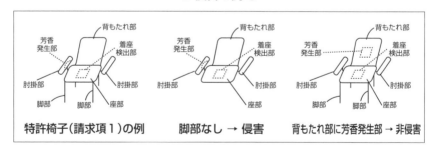

特許椅子（請求項1）の例　　脚部なし → 侵害　　背もたれ部に芳香発生部 → 非侵害

● 均等論

特許権侵害が認められるためには、特許発明の構成をすべて満たさなければならないとする原則を貫くと、特許発明の構成をほんの一部異な

らせるだけで、侵害を回避することができるという不都合が生じます。

　そこで、被疑侵害者が実施する製品や方法に、特許発明の構成と一部異なるところがあっても、特許発明と実質的に同一で均等と考えられる場合には特許権侵害を認める均等論が提唱され、判例（最判平成10年2月24日）で認められています。

　均等論が認められるための五つの要件は、次の表のとおりです。

◉ 均等論が認められる要件 ◉

①	非本質的部分	特許請求の範囲に記載された構成中に対象製品等（被疑侵害製品・被疑侵害方法）と異なる部分が存する場合であっても、その部分が特許発明の本質的部分ではないこと
②	置換可能性	その部分を対象製品等におけるものと置き換えても、特許発明の目的を達することができ、同一の作用効果を奏すること
③	侵害時の置換容易性	そのように置き換えることに、当該発明の属する技術の分野における通常の知識を有する者（当業者）が、対象製品等の製造等の時点において容易に想到することができたものであること
④	出願時公知技術からの容易推考困難性	対象製品等が、特許発明の特許出願時における公知技術と同一または当業者がこれから出願時に容易に推考できたものではないこと
⑤	意識的除外	対象製品等が特許発明の特許出願手続において特許請求の範囲から意識的に除外されたものに当たる等の特段の事情もないこと

● 間接侵害とは

　特許法は、直接侵害には該当しない行為であっても、侵害に直結する以下の予備的な行為は侵害行為とみなし、これを排除する間接侵害を規定しています。

・専用品（物の特許発明について、その物の生産にのみ用いる物／方法の特許発明について、その方法の使用にのみ用いる物）の生産等
・特許発明等を知りながらの課題解決に不可欠な物（物の特許発明に

ついて、その物の生産に用いる物で発明による課題解決に不可欠な
もの／方法の特許発明について、その方法の使用に用いる物で発明
による課題解決に不可欠なもの）の生産等
・特許品（物の特許発明について、その物／物を生産する方法の特許
発明について、その方法により生産した物）の譲渡等または輸出を
目的とした所持

● 間接侵害 ●

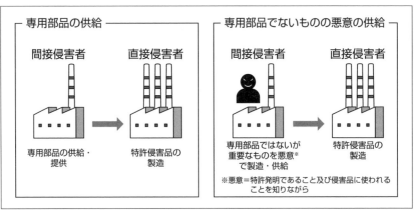

出典：特許庁「特許法等の一部を改正する法律について（報道発表）」
　　　（https://www.jpo.go.jp/system/laws/rule/hokaisei/tokkyo/houkaisei_h140417/houkaisei_gaiyou.html）をもとに著者作成

　間接侵害についての特許権者の救済は、直接侵害の場合と異なるとこ
ろはなく、特許権者には差止請求や損害賠償請求等が認められます。

● 抗弁

　第三者の行為が、直接侵害または間接侵害に該当しても、その第三者
が抗弁（特許権者の権利主張を排斥する事実）を有するときには、特許
権侵害は成立しません。抗弁事由としては、第三者が専用実施権または
通常実施権を有すること、第三者の行為が特許権の効力が及ばない範囲
での実施であること、特許に無効理由があること、特許権の消尽などが
あります（15項を参照）。

23 特許権侵害に対する特許権者の対応

自社ビジネスへの影響の観点から警告、訴訟、調停等を行う

● 特許権者の侵害対応の流れ

特許権者が発明を支配するために特許権を取得したのに、第三者が特許権者に無断でその発明を実施することがあります。第三者に特許権を侵害されたと考える特許権者の対応は、次のような流れになります。

● 侵害行為への対応 ●

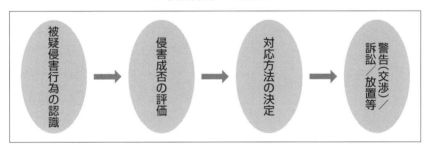

被疑侵害行為（特許権侵害が疑われる行為）は、特許権者が自社の特許製品に似た他社の製品を市場で見つけて認識することもありますが、取引先などから指摘されて認識することもあります。

被疑侵害行為を認識すると、特許権者は、被疑侵害品（被疑侵害行為を組成する物品）の入手や検討・解析、被疑侵害者（被疑侵害行為の主体）の特定、被疑侵害行為の態様・規模の調査などにより、情報、証拠の入手に努めます。そして、社内評価や専門家（弁理士・弁護士など）による評価（鑑定）によって、特許権侵害が成立しているかどうか（侵害の成否）を評価します。

侵害の成否を評価した結果、侵害が成立していれば、特許権者は、侵害行為の自社ビジネスへの影響（自社の売上に対する直接的な影響のほか、取引先・消費者に対する影響、市場・業界に対する影響等も含みます）という観点を軸に、対応方法を決定します。対応方法の選択肢としては、警告、訴訟、調停、仲裁、保全命令申立て、水際取締りなどがありますが、侵害行為の自社ビジネスへの影響が直ちに生じないのであれば、放置（何もしない）という選択もあります。このうち、よく選択される警告について、以下で説明します。

● 警告の実務

　「警告」というと、喧嘩腰な印象や高圧的な印象があるかもしれませんが、警告とは、特許権者が自らの能動的な目的（被疑侵害行為の中止、金銭、被疑侵害者との取引、被疑侵害行為に関する情報の取得など）のために、被疑侵害者と行う交渉のことです。

● 警告のメリットとデメリット ●

メリット	・被疑侵害者の出方や情報を知り得る ・（訴訟と比べて）費用が低廉 ・早期解決につながる可能性がある ・非公開
デメリット	・（被疑侵害者の回答に対しても、合意後の債務不履行に対しても）強制力なし ・不正競争防止法の信用棄損行為につながる可能性あり

　したがって、警告書とは、特許権者が能動的な目的の達成に必要な被疑侵害者の反応を考え、「こちらがこう出れば、あちらがこう動く」との予測の下に、被疑侵害者がその反応を示すように導くものです。たとえば、販売停止が特許権者の能動的な目的で、その達成に必要な被疑侵害者の最終的な反応が「販売をやめます」という態度であれば、特許権者は、被疑侵害者がそう言わざるを得ないように、警告書とその後の書

面などで導くことになります。

　警告書の作成に際しては、発信者をどうするか（特許権者、代理人のいずれの発信にするか）、表現をどうするか（内容はもちろん、送り方、書類名（書類名は必ずしも「警告書」である必要はありません）、言葉選び、被疑侵害者による回答方法の指定も慎重に検討します）、被疑侵害者が硬直的反応・無反応の場合にどうするかなどについて検討します。特許権者が警告書を発して被疑侵害者との間でやりとりが始まると、被疑侵害者よりも特許権者のほうがやりとりの収め方が難しいこともあるので、そのことも当初から念頭に置いておく必要があります。

　警告に対して被疑侵害者から回答が届いた場合、特許権者は、回答内容から目的達成に近づいているのかどうかを検討し、必要に応じて軌道修正します。被疑侵害者が無反応で回答がない場合には、そこで終わりにするのか、もう一度連絡するのか、裁判所その他に舞台を移すのかについて、改めて検討します。

　警告が功を奏して被疑侵害者との合意が間近になれば、必要に応じて被疑侵害者との対峙のトーンも変えながら、合意書の合意条項を検討します。合意条項の表現には、裁判所ウェブサイトの「知的財産権訴訟における和解条項例集」が参考になります（12項を参照）。

● 警告の進め方 ●

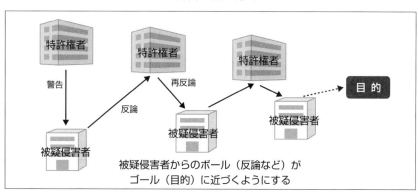

被疑侵害者からのボール（反論など）が
ゴール（目的）に近づくようにする

24 特許権侵害に対する被疑侵害者の対応

自社ビジネスへの影響を抑えた早期解決を目標とする

● 被疑侵害者の侵害対応の流れ

　特許権の存在を知らずに製品を販売していたところ、ある日取引先から指摘されたり、特許権者からの警告書を受領したりして、その製品販売について特許権侵害の疑義が生じることがあります。特許権を侵害した疑いのある被疑侵害者の対応は、一般に次のような流れになります。

◉ 侵害行為を疑われたときの対応 ◉

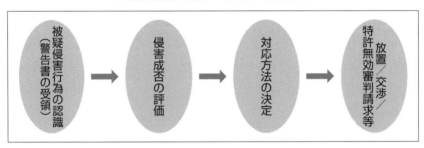

被疑侵害行為の認識（警告書の受領）　➡　侵害成否の評価　➡　対応方法の決定　➡　放置／交渉／特許無効審判請求等

　被疑侵害行為（特許権侵害が疑われる行為）を認識すると、被疑侵害者は、特許情報プラットフォーム（J-PlatPat＝12項を参照）・特許原簿・包袋（特許出願についての関係書類一式）による特許権の存否・内容の確認、被疑侵害品（被疑侵害行為を組成する物品）の検討・解析、被疑侵害行為の態様・規模の調査、特許無効理由の調査等により、情報や証拠の入手に努めます。そして、社内評価や専門家（弁理士・弁護士など）による評価（鑑定）によって、特許権侵害が成立しているかどうか（侵害の成否）を評価し、対応方法を決定します。

　対応方法の選択肢としては、放置（何もしない）、交渉、特許無効審判の請求など（選択肢の切り口を変えると、特許権者と争う／被疑侵害品を非侵害が明らかになるように設計変更する／被疑侵害品の製造・販売等をやめる）がありますが、その選択については、侵害が成立している場合と成立していない場合に分けて以下で説明します。

● 侵害が成立していない場合

　特許権侵害の成否を評価した結果、侵害が成立していなければ、被疑侵害者は放置すればよいのですが、特許権者から警告書を受領している場合には、特許権者に非侵害であることを伝える必要があります。ここで、非侵害とは、被疑侵害者の行為が直接侵害、間接侵害に該当しない場合のほか、被疑侵害者の行為が侵害に該当しつつも被疑侵害者が抗弁を有する場合を含みます（22項を参照）。

　ただ、被疑侵害者が特許権者に「非侵害」と回答することは、非侵害の理由が特許権者を納得させるに十分なものでなければ、特許権者との争いにつながるので、争うことによる被疑侵害者の販路の毀損可能性、特許権者が被疑侵害者に対して他の特許権等の攻撃材料を有する場合は、その材料で攻撃される可能性なども考慮したうえで、回答（特許権者と交渉）する必要があります。

　また、被疑侵害者からの非侵害との回答に対し、なお特許権者が権利侵害を主張し、その主張が被疑侵害者のビジネスに看過し得ない影響を及ぼすのであれば、被疑侵害者は、特許無効審判の請求や判定（特許庁による技術的範囲の属否についての見解）の請求、特許権侵害差止請求権不存在確認請求訴訟等の対応を検討しなければなりません。

● 侵害が成立している場合

　特許権侵害の成否を評価した結果、侵害が成立していれば、被疑侵害者は、その侵害状態を解消する必要があります。被疑侵害者は、特許権

者から警告書を受領している場合には、特許権者と解決に向けた交渉をしなければなりません。侵害状態を解消するためには、被疑侵害品の設計変更、被疑侵害品の製造・販売等の中止、特許権者に対するライセンスの申出の選択肢が考えられます。

　ここで、特許権者と解決に向けた交渉をするためには、通常は回答書を作成して特許権者に送ります。回答書とは、被疑侵害者が受動的な目的（抽象的には、自社ビジネスへの影響を抑えた早期解決）の達成に必要な特許権者の反応を考え、特許権者がその反応を示すように導くものです。たとえば、在庫処分が受動的な（かつ、具体的な）目的で、その達成に必要な特許権者の最終的な反応が在庫販売を認める態度なら、被疑侵害者は、特許権者が在庫販売を認める旨発言せざるを得ないように、回答書とその後の書面などで導くことになります。

　つまり、警告書と回答書、そして、これらに続くやりとりは、特許権者と被疑侵害者の駆け引きの連続で、慎重に進める必要があります。被疑侵害者の立場からすると、警告書の背景にある特許権者の意図（目的）を汲み、可能であれば、それに譲歩した回答書とすることにより、早期解決につながります。

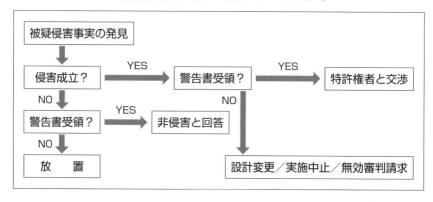

● 特許権侵害の疑いをかけられたとき ●

25 特許権侵害訴訟

負担に見合う成果が見込めるかどうかで提訴を判断する

● 特許権侵害訴訟の提起理由

　特許権の被疑侵害行為（特許権侵害が疑われる行為）を認識した特許権者は、多くの場合、被疑侵害者（被疑侵害行為の主体）に対して警告を発し、被疑侵害行為の中止や損害の賠償を求めます。しかし、特許権者と被疑侵害者の当事者間で交渉がまとまらないと、特許権者は裁判所を利用して解決を図るため、特許権侵害訴訟の提起を検討します。

　特許権侵害訴訟には時間も費用もかかるので、特許権者にとっては、その負担に見合う成果がなければ訴訟に踏み切れません。たとえば、被疑侵害行為が特許権者のビジネスを脅かすような場合に、被疑侵害行為の差止めを認める判決が見込めれば、訴訟の負担に見合う成果があると

● 特許権侵害訴訟の結果 ●

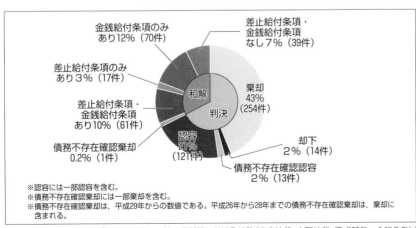

金銭給付条項のみ
あり12%（70件）

差止給付条項・
金銭給付条項
なし7%（39件）

差止給付条項のみ
あり3%（17件）

差止給付条項・
金銭給付条項
あり10%（61件）

債務不存在確認棄却
0.2%（1件）

和解

判決

棄却
43%
（254件）

認容
21%
（121件）

却下
2%（14件）

債務不存在確認認容
2%（13件）

※認容には一部認容を含む。
※債務不存在確認棄却には一部棄却を含む。
※債務不存在確認棄却は、平成29年からの数値である。平成26年から28年までの債務不存在確認棄却は、棄却に含まれる。

出典：知的財産高等裁判所「特許権の侵害に関する訴訟における統計（東京地裁・大阪地裁, 平成26年〜令和2年）」

いえます。統計的には、判決または和解で差止めが認められる確率は３分の１未満です。

　一方、特許権者が損害賠償を目的としても、高額な損害額を認める判決はあまり期待できないというのがこれまでの傾向です。統計的には、特許権者に認められる金額が1000万円未満で終わる訴訟が４割以上あります。代理人費用などを差し引くと特許権者にいくらも残らないとの見込みでは、訴訟の負担に見合う成果がなく、特許権者は訴訟を諦めざるを得ません。

◉ 判決で認容された金額／和解において支払うことが約された金額 ◉
（東京地裁・大阪地裁　2014年〜2019年）

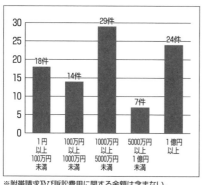

※附帯請求及び訴訟費用に関する金額は含まない。

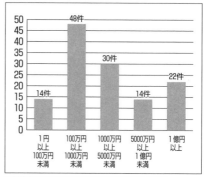

※訴訟費用及び和解費用に関する金額は含まない。

出典：知的財産高等裁判所「特許権の侵害に関する訴訟における統計（東京地裁・大阪地裁，平成26年〜令和２年）」

　つまり、特許権者は、当事者による交渉が難しく、訴訟の負担に見合う成果があると思われる場合に特許権侵害訴訟を提起し、被疑侵害者は、特許権者の側に訴訟提起の積極的な理由を見出せなければ、提訴される可能性が低いとの前提で立ち振る舞い、特許権者を悩ませます。

　現在、日本の特許権侵害訴訟は年間百数十件にとどまり、２桁多い中国、１桁多いアメリカと比べると僅少です（2項を参照）。

● 特許権侵害訴訟の特徴

特許権侵害訴訟は、民事訴訟の一類型ですが、他の民事訴訟と比べて次のような特徴があります。

- ・第一審は東京地方裁判所と大阪地方裁判所の知財専門部（３人の裁判官の合議体）で審理され、控訴審は知的財産高等裁判所で審理される（10項を参照）。
- ・原告（特許権者）が差止めと損害賠償を請求すると、侵害論と損害論の２段階に分けて審理される。
- ・専門委員を交えた技術説明会が開催されることがある。
- ・被告（被疑侵害者）が特許庁に特許無効審判を請求すると、裁判所の審理と特許庁の審理が並存する。
- ・特許権侵害の証拠が被告の側に偏在し、原告による権利侵害の立証が難しいことも多い。
- ・損害額の計算方法が特許法に規定されている。
- ・特許権侵害の成否が言葉の解釈に左右され、判決が予測しにくいことも多い（判決が確定するまでの長期間、原告のビジネスも被告のビジネスも不安定な状況に置かれる）。

よって、特許権者として訴訟を提起する場合にも、被疑侵害者として提起された訴訟に対応する場合にも、専門的な知見が必要で、弁護士に代理人を依頼するのであれば、知財事件を専門とする弁護士に依頼する必要があります。また、特許無効の主張などについて弁理士の助力を得るために、弁理士が代理人・補佐人となることも多くあります。

● 知財調停制度

東京地方裁判所と大阪地方裁判所は、2019年から、知的財産権に関する調停手続について新たな運用を開始しました。裁判所の説明によると、

知財調停は、「ビジネスの過程で生じた知的財産権をめぐる紛争について、一定の期日までに提出された資料等に基づき、知財部の裁判官及び知財事件の経験が豊富な弁護士・弁理士などから構成された調停委員会の助言や見解を得て、話合いによる簡易・迅速な解決を図る手続であり、現行法の枠内で、訴訟、仮処分にはない特徴を有する第3の紛争解決ツールを提供する司法サービス」であり、柔軟性、迅速性、専門性、非公開の特徴があるとされています。

◉ 知財調停制度と民事訴訟の比較 ◉

（参考）民事訴訟について

	知財調停制度	民事訴訟
柔軟性	・解決したい紛争を当事者が設定。調停委員会の見解等を得て調停を終了させ、当事者間で自主的交渉を行うことも可能。	・訴訟物に応じて審判対象を設定し、決められた手続で審理。被告の応訴後は訴えの取下げに被告の同意必要。
迅速性	・原則として、3期日の迅速な審理と心証開示。 （当事者のニーズに合わせた審理期間の調整可能）	・判決を前提に主張と証拠を整理し、適宜、和解勧試。 ・知財事件の平均審理期間：12.3月
専門性	・知財部の裁判官、知財経験豊富な裁判官ＯＢ、弁護士・弁理士による知財専門の調停委員会による調停 ・裁判所調査官の利用	・知財部の裁判官による審理 ・裁判所調査官、専門委員の利用
非公開	・申立ての有無も含め手続は当事者のみに公開。	・公開の法廷における審理 ・判決は原則として公開

申立手数料について
※民事訴訟の手数料の半額以下（例：訴額等が1億円の場合　訴え提起手数料……32万円　民事調停申立手数料……13万3000円）
※調停不成立の場合、2週間以内に訴訟を提起した場合、手数料の引き継ぎが可能

出典：特許庁「知財調停の取組について」
（https://www.jpo.go.jp/resources/shingikai/sangyo-kouzou/shousai/tokkyo_shoi/document/33-shiryou/05.pdf）より

26 外国における特許権取得の手続

国際条約の利用により手続を簡単にする方法もある

● 出願・審査・権利化は国単位

　日本の特許庁の審査を経て成立した特許権は、日本国内にのみ効力が及びます。日本で特許された発明を利用した製品が外国で製造・販売されていても、日本の特許権を行使することはできず、外国で特許権侵害を主張するためには、その国の特許権を取得している必要があります。同様に、外国で特許された他社の特許発明を利用した製品を日本で製造・販売しても、その他社から外国の特許権に基づいて権利行使されることはありません。

　国際的に知的財産権を取得するためには、各国が定めた言語や方式に従って各国の特許庁に出願し、所定の審査を経る必要があり、出願人にとっては多大な労力やコストが生じます。そこで、手続を簡便化したり外国の出願人に時間的猶予を与えたりするために国際条約が締結されており、特許の外国出願手続についてはパリ条約と特許協力条約（PCT）の仕組みがよく利用されます。

● パリ条約が定める三つのルール

　パリ条約は、工業所有権の国際的な保護を図るべく1883年にパリで締結されました（9項を参照）。パリ条約には、内国民待遇の原則[4]、優先権制度[5]、特許独立の原則という三つの重要なルールが規定されており、

4）パリ条約の同盟国の国民は、他の同盟国の国民と同等の取扱いを受けられる原則のことです。

5）ある同盟国に出願して一定の期間内に他の同盟国に出願すると、最初の同盟国の出願日に出願したと同等の取扱いを受けられる制度のことです。

外国の権利取得時に特に重要なものが、優先権制度です。優先権制度を利用することにより、最初の日本出願の出願日から1年以内に優先権を主張して外国で同じ発明について出願をした場合、この出願の新規性・進歩性などの特許要件は、日本出願の出願時を基準に判断されます。つまり、出願人は、外国で求められる出願書類の準備期間を1年間得られて、外国への出願手続に際し、その国の自国民に比べて不利益を被らないことになって、内国民待遇の原則が実現されます。

優先権は、パリ条約の一つの加盟国で最初の出願をしたことにより、他のすべての加盟国において最初の出願により得た利益を受けることができる権利の束のようなものです。この権利は、国ごとに他人に譲渡することができます。

● 特許協力条約（PCT）

PCTでは、出願人が国際的に統一された様式の出願書類を日本語などで作成して日本特許庁などの受理官庁に国際出願（PCT出願）をすれば、すべてのPCT加盟国に国内出願したことと同じ扱いを受けることができる仕組みを規定しています。「世界特許」や「国際特許」という言葉が使われる場合、PCT出願を意図しているのかもしれませんが、PCT出願により世界中で効力を有する特許権を得られるわけではありません。出願人は、PCT出願をした後、原則として30か月以内に権利化を希望する国に対して国内移行手続を行い、その国で審査・権利化されることによって、その国の特許権が得られます。

出願人が受理官庁としての日本特許庁にPCT出願すると、国際調査機関としての日本特許庁による国際調査が行われ、出願人には国際調査報告書と国際調査機関による見解書によって特許性の調査結果（新規性・進歩性・産業上の利用可能性の有無）が通知されます。出願人は、この調査結果を受けて、補正をしたり、さらなる審査請求をしたりすることもでき、国内移行手続後の各国における審査に備えます。

　国内移行手続は、各国で求められる翻訳文などを提出する手続で、PCT出願時に指定した加盟国（特に指定しないと、全加盟国が指定されたことになります）の中から、権利取得を希望する国について行います。ヨーロッパ特許庁のように加盟する複数の国をとりまとめる広域官庁に移行する場合には、さらにその加盟国間で定められた条約などに基づいて、加盟国における保護を求めることになります。ヨーロッパ特許庁では、ヨーロッパ特許庁で特許が認められた後に、ヨーロッパ域内の希望する国に保護を求める手続を行います。

● パリルート出願とPCTルート出願

　パリ条約を利用して出願することはパリルート（直接ルート出願）、PCTを利用して出願することはPCTルートと呼ばれています。いずれのルートを利用する場合も、日本の出願に基づく優先権を主張して出願することが一般的です。

　最初に日本で出願してその後に外国でも出願しようとした場合、パリルートは、日本出願から1年以内に権利取得を希望する国が決まる場合に利用されます。PCTルートは、事業の動向次第で外国出願の要否を決めたい場合や、日本出願から1年以内に権利取得を希望する国が決まらない場合などに利用されます。PCTルートを利用すると、日本出願から30か月以内に権利取得を希望する国で国内移行手続を行えばよいので、出願国を決めるための時間を確保することができます。なお、当初から外国出願が念頭にあるならば、日本出願をしてからPCT出願をするのではなく、最初から日本を指定国に含むPCT出願を行って、日本については適時に国内移行して日本出願を発生させることもあります。

◉ パリルート出願の例 ◉

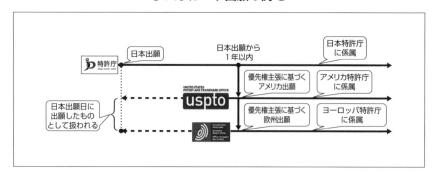

◉ PCTルート出願の例 ◉

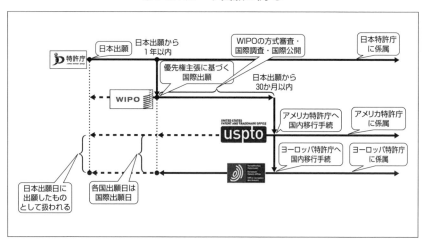

　外国の特許庁に対する手続では、その国の弁理士などの代理人を求められることがほとんどです。外国出願をする場合には、日本の弁理士を介して外国代理人に依頼するか、直接各国の代理人を探して手続の代理を依頼することになります。

27 実用新案権の概要

特許権より取得は容易でも、行使するためのハードルは高い

● 特許と実用新案のちがい

　特許制度に類似するものとして実用新案制度があり、実用新案権の付与により産業の発達に寄与することを目的としています。実用新案権は、特許権と保護対象が重複しており、「自然法則を利用した技術的思想の創作」の保護には、特許制度、実用新案制度のいずれも利用することができます。ただし、両制度の保護対象には多少の相違があるほか、権利取得の過程、権利の存続期間などについて、特許と実用新案には相違があります。

● 特許と実用新案のちがい ●

	特許	実用新案
保護対象	物・方法・物を生産する方法の「発明」	物品の形状、構造または組合わせに係る「考案」 （方法は含まない）
実体審査	あり	なし
存続期間	出願から20年	出願から10年
権利行使	可	「実用新案技術評価書」の提示により可

● 実用新案権の保護対象

　実用新案権の保護対象は、発明ではなく考案です。「**考案**」は、「自然法則を利用した技術的思想の創作」と定義され、「自然法則を利用した技術的思想の創作のうち高度のもの」と定義される特許権の保護対象の

ように、創作に高度性が要求されません。それゆえに考案は「小発明」といわれることもあります。

　考案のうち、実用新案権で保護されるのは、「物品の形状、構造又は組合せに係る」ものに限られています。したがって、特許権で保護される方法や材料、プログラムなどは実用新案権では保護されず、これらの保護を求める場合には必然的に特許制度を利用することになります。

● 実用新案権取得の手続

　実用新案権を取得するためには、特許庁に出願書類（願書、実用新案登録請求の範囲、明細書、要約書、図面）を提出して実用新案登録出願を行います。出願書類については、基礎的要件と呼ばれる条件を満たしているかどうかの確認が行われますが、特許と異なり出願公開はなく、無審査制度が採用されていて実体審査も行われません。出願すれば実用新案登録されることが前提で、出願人は、出願と同時に1～3年分の登

◉ 実用新案登録出願の流れ ◉

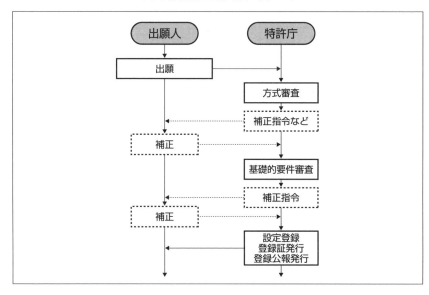

録料も納付するので、出願後は、実用新案登録されて実用新案権が成立し、実用新案登録証が届くのを待つのみです。

実用新案権の存続期間は出願日から10年で、特許権の存続期間の半分です。実用新案権者は、権利の存続を希望する間は、毎年の登録料を特許庁に支払います。

● 権利行使上の留意点

実用新案権も特許権と同様の効力を有し、第三者による侵害に対しては差止請求権や損害賠償請求権などが認められています。しかし、実用新案は無審査で登録され、新規性・進歩性などの実用新案登録要件を満たさない考案についても実用新案権が発生します。このような瑕疵ある権利が無条件に行使、濫用される事態を防止すべく、実用新案法では、実用新案権者が実用新案技術評価書を提示して警告した後でなければ、実用新案権を行使することができないと定められています。

実用新案技術評価書は、権利の有効性に関する客観的な判断材料として、実用新案権者または第三者からの請求により特許庁が作成するものです。実用新案技術評価書では、実用新案登録要件のうち、先行技術文献に基づいて判断可能な新規性、進歩性、拡大先願及び先願について評価が示され、実用新案権者は、実用新案登録の有効性に否定的でない「評価6」の場合にだけ、実用新案権を行使することができます。

● 実用新案技術評価書の評価 ●

評価	内容
1	新規性なし
2	進歩性なし
3	拡大先願違反
4	同一考案について先願あり
5	同一考案について同日出願あり
6※	新規性等を否定する先行技術文献等を発見できない

※ 「評価6」は、記載が不明瞭であること等により、有効な調査が困難と認められる場合も含みますので、「評価6」の場合にも実用新案登録が無効となることは考えられます。

また、実用新案法では、警告や権利行使の後に実用新案登録が無効になった場合は、実用新案権者が登録の有効性に否定的でない実用新案技術評価書に基づくなど相当な注意をもって警告や権利行使をしたときを除き、警告や権利行使により相手方に与えた損害の賠償責任を負うことが定められています。

　したがって、実用新案権は、特許権と比べると取得が容易で、権利行使のハードルが高いといえます。権利行使のハードルは、新規性・進歩性などの実用新案登録要件を具備する考案を出願すれば乗り越えられるので、無審査とはいえ実用新案登録出願の際にも先行技術文献を調査して、先行技術との差異がある考案を出願することが重要です。

● 実用新案権の活用

　実用新案権は、進歩性の観点から特許権の取得は難しいかもしれない技術を保護したい場合や、ライフサイクルの短い製品に適用される技術を取り急ぎ保護したい場合などに活用することができます。たとえ進歩性が低い考案についての実用新案権であっても、実用新案登録無効審判で無効審決が確定しない限りは有効なので、その考案の実施を望む第三者に対して抑止力になります。

　また、実用新案権者は、出願日から３年以内に、実用新案権を放棄して実用新案登録に基づく特許出願をすることができます。実用新案登録された考案を適用した製品の販売が軌道に乗り、実用新案権の存続期間よりも長期の権利期間を確保したいような状況では、この特許出願へのスイッチが有効です。ただし、一旦特許出願に切り替えると、実体審査で特許性が認められなければただ権利を手放したことになるので、そのリスクを十分に見極めたうえで、特許出願に切り替える必要があります。

28 オープン＆クローズ戦略

知財実務上と事業戦略上の２通りが考えられる

● オープン＆クローズ戦略とは

　オープン＆クローズ戦略は、企業において、自社の強みを活かして市場を拓く有効な戦略として活用されています。オープン＆クローズ戦略の「オープン」と「クローズ」は、「開示」と「秘匿」、「開放」と「独占」の２通りの意味で使われることがあり、ここでは前者を知財実務上のオープン＆クローズ戦略、後者を事業戦略上のオープン＆クローズ戦略として説明します。

● 知財実務上のオープン＆クローズ戦略

　企業内の重要な無形資産である発明を例にとると、この発明を特許出願して（特許出願に伴う発明の公開〈オープン〉を甘受して）活用することをオープン戦略、特許出願せずにブラックボックス化したりノウハウなどの営業秘密として秘匿したりして活用することをクローズ戦略といい、両者のそれぞれの利点を生かす戦略が知財実務上のオープン＆クローズ戦略です。

　発明の特許化によるオープン戦略の利点は、発明の利用方法を自由にコントロールすることができる点にあります。発明が特許されると、それを独占的に実施することも、第三者にライセンスすることも、特許開放することも特許権者の一存で可能となり、市場における発明の利用方法を自社に有利なものとすることができます。一方、欠点としては、出願公開などによる他社への技術情報の提供があり、これによって他社に自社の開発動向を知られたり開発のヒントを与えたりするリスク、たと

117

え特許権を取得してもその存続期間が満了した後はジェネリック医薬品のように他社製品が市場に参入してくるリスク、そもそも特許権の取得に至らなかったり特許が取消し、無効になったりして発明公開の恩恵を十分に享受し得ないリスクなどが考えられます。オープン戦略の選択に際しては、特許性の判断が非常に重要で、社内で当たり前のように使用されている技術が特許性を有することも、社内の独自技術で他社が不知と思い込んでいたものが既に公知で特許性を有しないこともあるので、先行技術の調査が戦略決定の礎になります。

　クローズ戦略の利点は、開示による技術流出の心配がなく、技術が漏洩しない限り、いつまでもその技術を優位に利用することができる点にあります。ただし、ノウハウなどの技術情報は、秘密管理性、有用性、非公知性が満たされる場合に営業秘密として不正競争防止法により保護されるものの（51項を参照）、秘密管理されていないノウハウは研究者や開発担当者の転職や退職などによって違法性なく流出する可能性がありますし、たとえ不正競争防止法上の営業秘密に該当する技術情報であっても、一旦流出したものを差止請求で完全に堰き止めることは困難です。

● 知財実務上のオープン＆クローズ戦略 ●

（オープン戦略・特許化）
利点　独占実施・ライセンス・特許開放等による市場コントロール
欠点　技術公開に伴うリスク、権利期間有限、権利取得・維持・管理コスト
（クローズ戦略・秘匿化）
利点　技術流出なし、期間無期限、比較的低コスト
欠点　秘密管理が困難、技術流出により無価値化、他社による権利化リスク

　知財実務上のオープン＆クローズ戦略では、たとえば、リバースエンジニアリングで解析可能な技術や近い将来に他社の開発が予想される技

術については特許化し、製造方法などの権利化しても侵害の立証が難しい技術については秘匿化することが考えられます。秘匿化の際には、その技術について他社が特許権を取得する可能性がありますので、その特許権により自社の事業継続が妨げられないように、先使用権や特許無効の立証に役立つ資料を収集、整理しておくことが重要です。

● 事業戦略上のオープン＆クローズ戦略

事業戦略上のオープン＆クローズ戦略では、特許権のライセンスなどにより技術を開放して市場の開拓、拡大を図ることがオープン戦略、特許権などにより他社を排除して技術を独占的に囲い込むことがクローズ戦略になります。提携企業同士で相互に特許発明の実施を認め合うクロスライセンスもオープン戦略に含まれるほか、オープン戦略では、技術標準化のために、保有特許を無償開放して自社技術をデファクトスタンダードにしたり、有償ライセンスを活用して標準技術にしたりすることも行われています。

● 事業戦略上のオープン＆クローズ戦略の例 ●

企業	オープン化	クローズ化
Intel (アメリカ)	パソコンのマザーボードの仕様を開放	マイクロプロセッサなどのコア技術を囲い込み
Cisco Systems (アメリカ)	ルータ用OSを開放	ルータ内部の基幹技術を囲い込み
デンソーウェーブ (日本)	QRコードについて基本仕様をISO化し、必須特許を無償ライセンスにより開放	QRコードの認識やデコード部分のコア技術を囲い込んでQRコードリーダやソフトウェアを有償販売

イノベーションの創出に当たり、オープン＆クローズ戦略と標準化戦略を組み合わせた事業戦略は、今後ますます重要性を増していくものと思われます。

29 共同研究開発・産学連携

イノベーション創出に有効な手段の特徴を理解しておく

● 共同研究開発・産学連携の活用

　企業の研究開発において、開発速度を上げたり他社の技術を利用したりするために共同研究開発を行うことがあり、素材メーカーとその素材を用いる最終製品のメーカーによる共同研究開発などはよく見られます。昨今はイノベーションの創出に有効な手段としてオープンイノベーションが注目され、共同研究開発の活用を視野に入れた取組みが増えつつあります。新分野に進出する大企業とベンチャー企業の共同研究開発や、企業が大学の研究成果を利用して新商品を開発する産学連携も活発化しています。

● 共同研究開発の制約

　共同研究開発には、外部の知の活用や市場拡大の加速化など大きなメリットがありますが、いくつかの制約も生じます。

　共同研究開発の成果物である発明についての特許を受ける権利（14項を参照）は、多くの場合、共同研究開発契約の定めに従って当事者の共有となり、このとき各共有者は他の共有者と共同でなければ特許出願を行うことができず、原則として他の共有者の同意を得なければ持分の譲渡や第三者へのライセンスなどをすることもできません。

　また、共同研究開発に伴い市場における公正な競争が阻害されないように、公正取引委員会は独占禁止法（52項を参照）に関して「共同研究開発に関する独占禁止法上の指針」を公表しており、そこに例示されている「不公正な取引方法に該当するおそれがある事項」や「不公正な取

引方法に該当するおそれが強い事項」は共同研究開発の制約になるので、留意する必要があります。

● 共同研究開発の流れ

　共同研究開発は、概ね、パートナーの選定、秘密保持契約、共同研究開発契約、共同研究開発の実行、成果物に関する事業の実施というステップを踏んで進行します。

①　パートナーの選定

　　共同研究開発のパートナーの選定は、取引先企業への（または、取引先企業からの）アプローチ、学会・各種展示会での交流、大学産学連携本部・技術移転機関（TLO）との交流、用途開発メーカーから素材メーカーへのアプローチなど千差万別の機会を通じて行われます。大学や公的研究機関などのシーズ技術の発表に利用されている国立研究開発法人科学技術振興機構（JST）の新技術説明会は、マッチング率の高い発表会として知られており、共同研究開発が念頭にある場合には、普段から多方面にアンテナを張っておくことが大切です。

②　秘密保持契約

　　共同研究開発のパートナーが決まったら、お互いのアイデアなどが流出したり盗用されたりしないように秘密保持契約（NAD）を締結したうえで、共同研究開発の詳細を協議します。

③　共同研究開発契約

　　パートナーとの協議で共同研究開発を進めることになれば、共同研究開発契約を締結します。この契約では、共同研究開発の目的や役割分担を明確にしたうえで、資料・情報の交換、研究開発費用の分担、研究開発期間、第三者との共同研究開発の制限、研究開発の成果物の帰属や取扱い、知的財産の取扱い、契約の解除などについて定めます。

④　共同研究開発の実行

　共同研究開発を始めると、様々なトラブルや共同研究開発契約に沿わない事態などが生じます。トラブルについては、当事者間で共有、協議して対処することが、研究開発を信頼関係をベースに進めていくうえで大切です。研究開発の実態が共同研究開発契約と合わない場合には、契約内容を見直すことも必要です。

⑤　成果物に関する事業の実施

　共同研究開発は、その成果物に関する事業を行うためのものなので、事業の実施は各当事者の目的であり、利益に直結する最大の関心事です。共同研究開発の当事者が、事業自体は共同ではなく各自で行うとしても、自らの事業における成果物の活用が妨げられないように、あらかじめ共同研究開発契約で成果物の取扱いを定めておくことが重要です。この事業の実施で当事者が"Win-Winの関係"になるような契約の締結が、共同研究開発を成功させるためのポイントになります。

● 産学連携

　第4次産業革命は産業界において同質的なコスト競争から付加価値の獲得競争へと構造変化をもたらし、イノベーション創出の手段として大学や国立研究開発法人などのアカデミアの知の活用が注目されています。

　政府は、産学連携による共同研究強化の観点から「日本再興戦略2016」において「2025年度までに大学・国立研究開発法人等に対する企業の投資額をOECD諸国平均の水準を超える現在の3倍とする」との目標を設定し、それを受けて文部科学省（文科省）と経済産業省によってイノベーション促進産学官対話会議が創設され、「産学連携による共同研究強化のためのガイドライン」が公表されました。このガイドライン策定後、大学において様々な改革が行われ、大学における共同研究の実施件数、研究費受入額ともに短期間で急増し、産学連携は新たなステー

ジに突入しようとしています。

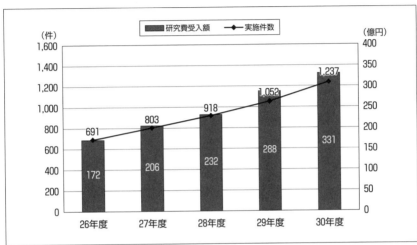

● 1,000万円以上の共同研究の件数及び額の推移 ●

出典：文部科学省「平成30年度大学等における産学連携等実施状況について」より作成

　企業同士の共同研究開発と異なり、産学連携による共同研究では研究主体の特性に相違があり（研究成果について、大学は自ら実施せず社会的還元を意識する一方、企業は独占的な実施を望みます）、それに伴う共同研究契約交渉の難しさがあります。この契約交渉を支援するために、研究成果の帰属パターンを類型化した「さくらツール」が文科省から公表されています（次ページ図を参照）。

● 「さくらツール（個別型）」の概要 ●

類型選択にあたっての考慮要素			モデル契約書11類型	帰属	特徴
研究への寄与度等に関する考慮要素	大学帰属の知財の取扱いに関する考慮要素		類型0	大学帰属	㊑非独占使用のみ
			類型1	大学帰属	㊑独占使用選択権
			類型2	大学帰属	㊑譲渡選択権
			類型3	大学帰属	㊑独占使用＆譲渡選択権
	大学による成果公表の要否に関する考慮要素		類型4	企業帰属	㊯他社許諾可 ㊯公表可 ㊯移転選択権
			類型5	企業帰属	㊯商業使用不可 ㊯公表可
			類型6	企業帰属	㊯商業使用不可 ㊯公表不可
	成果の帰属方法に関する考慮要素		類型7	発明者基準で帰属	• 大学帰属・共有成果に譲渡＆使用許諾の企業側選択権有
			類型8	発明者基準で帰属	• 類型7＋共有成果について両者許諾自由の事前包括許諾
		共有の余地を認めるかに関する考慮要素	類型9	原則として個別帰属	• 大学帰属成果に譲渡＆使用許諾の企業側選択権有 • 共有成果は事前包括許諾
			類型10	常に個別帰属	• 技術分野で棲分け（共有なし） • 両者自己帰属成果に制約なし

出典：文部科学省「大学等における知的財産マネジメント事例に学ぶ共同研究等成果の取扱の在り方に関する調査研究～さくらツールの提供～」を参考に著者作成

124

第2節　意匠権

30 意匠権の保護対象

工業上の利用可能性のある物品、画像、建築物等の意匠が対象

● 意匠制度の目的と「意匠」

　意匠制度は、意匠の保護及び利用を図ることにより意匠の創作を奨励し、産業の発達に寄与することを目的としており、意匠権の保護対象は「意匠」です。

　「意匠」は、英語の「デザイン」に相当し、「デザイン」という言葉は、日常では、プロダクトデザイン、建築デザイン、インテリアデザイン、ディスプレイデザイン、グラフィックデザイン、服飾デザイン、ヘアデザイン、環境デザインなどと様々に用いられますが、このようなデザインのうち、意匠法は、「物品の形状、模様若しくは色彩若しくはこれらの結合（形状等）、建築物の形状等又は画像であつて、視覚を通じて美感を起こさせるもの」を「意匠」と定義して、意匠権の保護対象としています。

　特許権の保護対象である発明には、産業上の利用可能性が求められますが（17項を参照）、意匠権の保護対象である意匠には、**工業上の利用可能性が求められ、同一のものを複数製造したり、建築したり、作成したりすることができる意匠に限って保護されます。**自然物を意匠の主たる要素に使用して量産することができないものや、純粋美術の分野に属する著作物は、意匠権の保護対象ではありません。

　また、店舗、事務所その他の施設の内部の設備及び装飾（内装）を構成する物品、建築物または画像に係る意匠が、内装全体として統一的な美感を起こさせるときも、一つの意匠として意匠法で保護されます。

◉ 意匠権の保護対象の例 ◉

「物品」の意匠

登録第1661851号「乗用自動車」

登録第1665377号「包装用容器」

「画像」の意匠

登録第1691031号「メニュー用画像」

登録第1691395号「機器操作用画像」

「建築物」の意匠

登録第1671773号「商業用建築物」

登録第1683544号「葬儀用建築物」

「内装」の意匠

登録第1690192号「化粧品売り場の内装」

登録第1685429号「共同住宅の内装」

● 意匠登録要件を知る

特許権による保護のために、特許要件として発明の新規性、進歩性などが求められますが、意匠権による保護のためにも、意匠登録要件として新規性、創作非容易性などが求められます。主な意匠登録要件は次の表のとおりで、特許法と同様に、意匠法においても、意匠登録要件が拒絶理由の形で制限的に列挙されています。

● 主な意匠登録要件 ●

新規性（3条1項各号）	出願した意匠と同一または類似の意匠が出願前の公報やインターネットなどで公開されている
創作非容易性（3条2項）	出願した意匠が、出願前の公報やインターネットなどで公開されているものから容易に創作できるものである
先願／同日出願（9条）	出願した意匠と同一または類似の意匠が先／同日に出願されている
工業上の利用可能性（3条1項柱書）	出願した意匠が具体的ではない、形態が特定できないなど
一意匠一出願（7条）	複数の意匠が一つの出願に含まれている
不登録事由（5条）	出願した意匠が公序良俗に反した意匠や他人の著名な標章を表した意匠などである

● 意匠権と他の知的財産権の関係

特許権、商標権などの知的財産権は、保護領域が重複するなど相互に関連性を有しますが、意匠権は、相対的に、他の知的財産権との関連性が高いといえます。たとえば、プロダクトデザインの創作過程において、デザイナーは、製品の使いやすさや機能性に関する課題を克服しながら製品の外観を設計します。このように創作された意匠は、技術的な効果も発揮し、特許権、実用新案権の保護対象にもなります。

また、意匠権の保護対象は、製品の外観などの視覚的効果が大きいもので、一般消費者や取引業者（以下「需要者」といいます）に対し、そ

の製品を目にしただけで、その製品の製造者、販売者を想起させることがあります。この場合の意匠は、需要者が商品やサービスを選択する際の目印として、商標権の保護対象にもなり得ます。

　著作権は、著作者によって表現された考え（思想）、気持ち（感情）である著作物を保護するもので、具体的には文芸、学術、美術、音楽などの一品制作されるものを保護します。これに対し、意匠権は、主に繰り返し量産され得るものを保護対象としますが、一品制作されるものと量産され得るものとの境界は明確ではなく、意匠権の保護対象と著作権の保護対象が重なり合うことも考えられます。

　また、不正競争防止法は、事業者間の公正な競争を確保するために、不正競争の防止及び不正競争に係る損害賠償に関する措置を講じていますが、その「不正競争」として、日本国内において最初に販売された日から３年を経過していない製品の模倣が含まれています。この不正競争防止法の模倣に対する保護は、物品の意匠について意匠法の保護と重なり合い、意匠権を取得していない意匠が模倣された場合には、不正競争防止法により差止めや損害賠償を請求することがあります（50項を参照）。

31 意匠権の効力と活用

似ているかどうかが見た目でわかるので紛争の早期解決に有効

● 意匠権の効力と存続期間

　意匠が完成すると、創作者には意匠登録を受ける権利が認められます。創作者または創作者から意匠登録を受ける権利を譲り受けた譲受人が、意匠登録出願をして設定登録されると、意匠権が発生します。

　意匠権者は、出願日から25年間[1]**、登録された意匠（登録意匠）及びこれに類似する意匠を業として独占排他的に実施することができます。**そして、もし権原のない第三者が登録意匠またはこれに類似する意匠を実施して意匠権を侵害すれば（直接侵害）、または、登録意匠に係る物品の製造（または、建築物の建築若しくは画像の作成）にのみ用いる物品を製造するなどして意匠権を侵害するものとみなされれば（間接侵害）、その差止めや損害賠償などを請求することができます。

● 日本の意匠権侵害訴訟における高額な賠償額の例 ●

原告（意匠権者） VS 被告	請求額	被告売上	認容額	年／裁判所
「自動二輪車事件」本田技研工業 VSスズキ自動車工業	約21.6億円	約21.6億円	約7.6億円	昭和48年 東京地裁
「自走式クレーン事件」神戸製鋼 VS加藤製作所	約12億円	約300億円	約4.5億円	平成12年 最高裁
「体組成測定器事件」オムロンヘ ルスケアVSタニタ	約2.9億円	—	約1.3億円	平成27年 東京地裁

---

1 ）ただし、出願日が2020年（令和 2 年） 4 月 1 日より前の意匠権については設定登録日から20年間、出願日が2007年（平成19年） 4 月 1 日より前の意匠権については設定登録日から15年間の排他的独占使用権が認められます。

　なお、建築物、画像、内装の意匠は、2020年（令和2年）4月1日から新たに保護対象に加わりました。それ以前から存在する建築物、画像、内装により新たな保護対象についての意匠権を侵害するのかという点については、意匠権の成立前からそれに抵触する意匠につき実施していた第三者には、特許権の場合と同様に先使用権が認められるので（意匠権の効力が及ばない範囲については、意匠法には特許法と同様の規定があります）、意匠権の効力が及ばず侵害になりません（15項を参照）。

　ただし、第三者が意匠権成立前から実施してきた態様を別の態様に変更すると、その時点で非侵害から侵害に転化する可能性があります。一方、もし第三者の以前からの実施が公知であれば、意匠権者の意匠登録には新規性違反の瑕疵があります（30項を参照）。したがって、第三者の立場では、先使用権に頼るのではなく、意匠登録無効の主張を検討すべきです。

● 意匠の類似

　意匠権の効力は、登録意匠と同一の意匠のみならず、登録意匠と類似する意匠にまで及びます。登録意匠とそれ以外の意匠が類似であるか否かの判断（類否判断）は、判断者の主観が大きく影響するため、意匠法は、その判断について、需要者の視覚を通じて起こさせる美感に基づいて行うものと定めています。

　意匠の類否判断は、具体的には、意匠に係る物品、画像、建築物、内装（物品等）が同一または類似であるか否かという判断（物品等の類否判断）と、物品等の形態が同一または類似であるか否かという判断（形態の類否判断）から行われます。

　物品等の類否は、用途と機能が共通しているかどうかで判断され、用途が共通するボールペンとシャープペンシルは類似し、用途が共通しない自動車と自動車のおもちゃは類似しません。

　形態は、形状、模様、色彩を構成要素とし、「形状のみ」「形状＋模様」

「形状＋色彩」「形状＋模様＋色彩」の四つの態様があります。そして、形態の類否は、目に付きやすい部分であるか、ありふれた形態であるかなどの観点から総合的に判断され、「対比する両意匠の間に違いが３か所あるから非類似」などと単純に考えることはできません。

　登録意匠とそれ以外の意匠を対比した結果、物品等と形態がともに同一であれば両意匠は同一、物品等と形態の少なくとも一方が非類似であれば両意匠は非類似、そうでなければ両意匠は類似と判断されます。

◉ 意匠の類否判断方法 ◉

形態 ＼ 物品等	同一	類似	非類似
同一	意匠同一	意匠類似	意匠非類似
類似	意匠類似	意匠類似	意匠非類似
非類似	意匠非類似	意匠非類似	意匠非類似

意匠権の活用

　意匠権も特許権と同様に企業経営の武器として活用することができますが、多くの特許権と異なり、見た目（被疑侵害品の外観）で侵害を判断することができるという簡便性があるので、紛争の早期解決に有効です。たとえば、意匠権は、税関に対する輸入差止申立てにより、輸入されようとする被疑侵害品を水際で止めるような場合に威力を発揮します。また、特許権侵害を警告しても、警告内容に対する被疑侵害者の理解がなかなか進まず、解決に時間がかかることがありますが、意匠権侵害の警告であれば、被疑侵害者は警告内容を理解しやすいので、解決が早くなる可能性があります。

32 意匠権取得の手続

意匠権の権利範囲を定める図面の作成が最大のポイント

● 意匠登録出願から意匠権成立まで

意匠権を取得するには、願書（意匠登録願）と図面を特許庁に提出して意匠登録出願を行い、審査を経て設定登録される必要があります。

● 意匠登録出願の流れ ●

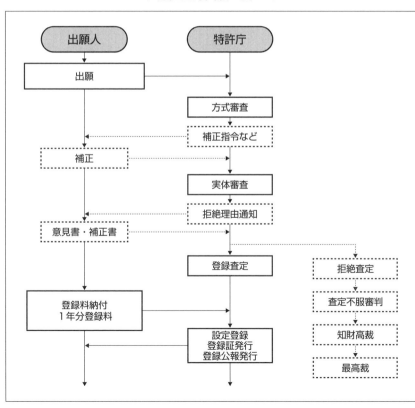

意匠登録出願の流れが特許出願の流れと大きく異なる点は、出願公開制度がないことと、出願審査請求制度がないことです（16項を参照）。

　出願された意匠の内容は、設定登録されると特許庁から発行される意匠公報で公開され、J-PlatPatにより閲覧可能になりますが、それまでは公開されません。したがって、拒絶されるなどして設定登録に至らなかった意匠は、出願人が自ら公表しなければ、第三者に知られることはありません。

　また、意匠登録出願は全件が実体審査の対象となり、出願人は、特許出願のように出願審査請求のタイミングで権利化の時期をコントロールすることはできません。なお、意匠登録出願にも早期審査制度がありますが、特許出願や商標登録出願に比べてその適用条件が狭くなっています。

● 意匠登録出願に必要な書類

　意匠登録出願の際には、願書（意匠登録願）と、願書に添付する図面を提出します。意匠は物品等の外観ですので、願書には、意匠に係る物品または意匠に係る建築物若しくは画像の用途を「意匠に係る物品」の欄に記載します。「意匠に係る物品」の欄の記載のみでは、意匠登録を受けようとする物品、建築物または画像の使用の目的、使用の状態等が明らかでない場合は、「意匠に係る物品の説明」の欄に、物品等の理解を助ける説明を記載します。

　図面には、物品等の形態を一義的に特定することができる図（線画やＣＧ）を記載します。意匠権の権利範囲は、図面の記載によって大きく変わるので、出願人は、図面の作成に最も注意を払います。

　なお、出願人は、図面に代えて、写真、見本またはひな形を提出することもできます。見本またはひな形で提出するためには、以下の条件を満たす必要があります。

・大きさが縦26cm、横19cm、厚さが7mm以下のもの（薄い布地また

◉ 物品の図面記載例 ◉

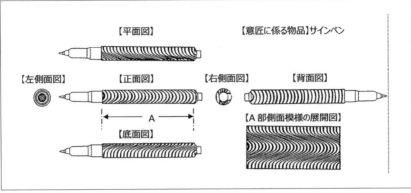

出典：特許庁「意匠登録出願の願書及び図面等の記載の手引き」より

◉ 画像意匠の図面記載例 ◉

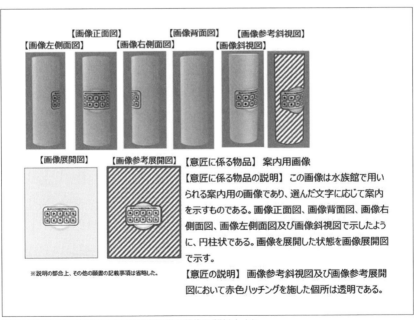

出典：特許庁「意匠登録出願の願書及び図面等の記載の手引き」より

注）【意匠の説明】にある「赤色ハッチングを施した個所」とは、で示された部分のことです。

● **画像図の例** ●

【画像図】

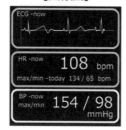

【意匠に係る物品】医療用測定結果表示用画像
【意匠に係る物品の説明】この画像は対象者に取り
　付けた医療用測定器のデータを表示するための
　画像であり、心電図、心拍数、血圧等のデータ
　を表示するものである。各測定値において設定
　した条件に合わせ、周囲の枠の色を変化させる
　ことで、遠くから見た場合でも直感的に計測結
　果の状況を知ることができる。

出典：特許庁「意匠登録出願の願書及び図面等の記載の手引き」より

は紙地の場合は、縦横それぞれ1m以下であり、7mm以下の厚さに
折りたたんで所定の袋に収めることができるもの)

・こわれにくいもの、容易に変形・変質しないもの

・取扱いまたは保存に不便でないもの

意匠登録出願の活用

　意匠登録出願は、特許出願に比べて低廉で審査期間が短く、出願人は
比較的手軽に審査結果を知ることができます。特許庁が審査に利用する
データベースには、日本や外国の特許庁で発行している意匠公報のほか、
雑誌やカタログ、インターネットなどに掲載されている様々な意匠が審
査資料として日々蓄積されており、その数は2018年度末で約1100万件に
及びます。このような膨大な審査資料から得られる審査結果は、出願人
にとって有益な情報としても活用可能です。たとえば、製品開発の過程
で複数のデザイン案がある場合には、複数のデザインを出願して審査結
果を確認してから、デザインの方向性を固めることも考えられます。

33 意匠特有の制度

意匠を手厚く保護するために四つの制度がある

● 意匠特有の四つの制度

意匠の保護対象が物品、建築物、画像、内装（物品等）の形態であることから、意匠には部分意匠制度、関連意匠制度、組物の意匠制度、秘密意匠制度という特有の制度があります。これらの制度は意匠を手厚く保護するためのもので、出願人は、意匠の創作的、商業的な価値のみならず、権利取得により阻止したい競合他社の行為や、ライセンス相手の業態などを考慮して、より目的に合致した意匠権の取得を図ることができます。

● 部分意匠制度とは

意匠制度では、物品等の全体の形態のみならず、その一部分の形態についても部分意匠制度により部分意匠として保護を求めることができます。物品等の全体の意匠の中に特徴的な部分がある場合に、その特徴的な部分の意匠について意匠権を取得すれば、第三者が実施する意匠が登録意匠と比較して全体としては非類似であっても特徴的な部分が同一または類似であれば、意匠権の効力が及びます。

たとえば、フレームの部分にデザイン的な特徴のある自転車の意匠の意匠権を取得する際に、次の三つの出願方法が考えられます。

ⅰ　物品を「自転車」として自転車全体の形態について出願

ⅱ　物品を「自転車」としてフレームの形態について部分意匠出願

ⅲ　物品を「自転車用フレーム」としてフレーム全体の形態について出願

ⅰの出願で意匠登録された場合、第三者が実施する自転車の意匠が、フレームの形態は登録意匠と似ているけれどもフレーム以外の部分の形態が似ていなければ、自転車全体としては非類似として意匠権の行使が困難になります。これに対し、ⅱの出願で意匠登録されると、第三者の自転車のフレームの形態が登録意匠と似ていれば、フレーム以外の部分の形態が登録意匠の図面上で異なっても意匠権を行使し得ます。フレームを自転車の部品として単体で出願するⅲの場合に意匠登録されると、そのフレームの形態と同一または類似の形態を有するフレームのみを輸入、製造、販売するような行為に対し、意匠権を行使することができます。

　部分意匠の出願では、一般に、図面において「意匠登録を受けようとする部分」が実線で描かれ、その他の部分は破線で描かれます。

◉ 部分意匠の意匠登録例 ◉

登録第1679649号

● 関連意匠制度とは

　先願または同日出願の意匠と同一・類似の意匠は、意匠登録の要件を満たしませんが（30項を参照）、一貫したデザインコンセプトからバリ

エーションの意匠群が形成されることもあり、これらをもれなく保護したいというニーズもあります。そこで、先願または同日出願の出願人と同一の出願人に対し、その先願または同日出願に係る意匠と類似の意匠の出願については、関連意匠としての意匠登録を認める関連意匠制度が設けられています。

　関連意匠制度では、先願または同日出願に係る一の意匠を本意匠として、この本意匠に類似する意匠について、本意匠の出願日から10年（本意匠がさらに先願に係る意匠〈基礎意匠〉の関連意匠である場合には、基礎意匠の出願日から10年）を経過する日まで、出願することができます。これにより、第一世代の登録意匠と類似する第二世代の意匠について意匠登録が認められるとともに、第二世代の意匠と類似する第三世代の意匠についても意匠登録が認められ、共通のデザインコンセプトに基づく意匠群を長期間にわたって保護することができます。

● 関連意匠の考え方 ●

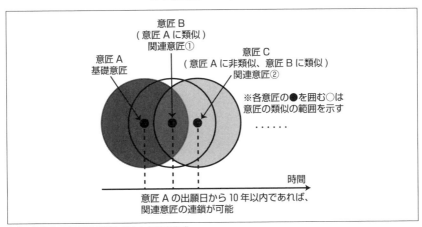

意匠 B
（意匠 A に類似）
関連意匠①

意匠 A
基礎意匠

意匠 C
（意匠 A に非類似、意匠 B に類似）
関連意匠②

※各意匠の●を囲む○は
意匠の類似の範囲を示す
……

時間

意匠 A の出願日から 10 年以内であれば、
関連意匠の連鎖が可能

出典：特許庁「意匠審査基準」をもとに著者作成

● 組物の意匠制度とは

　意匠登録出願は、原則として一つの物品、建築物または画像ごとに一

つの出願をしなければなりませんが、同時に使用される二以上の物品、建築物または画像であって経済産業省令で定めるもの（組物：くみもの）を構成する物品、建築物または画像に係る意匠が、組物全体として統一があるときは、一意匠として出願をし、意匠登録を受けることができます。経済産業省令で定めるものとしては、「一組の飲食用具セット」「一組の建築物」などがあり、組物を構成する物品、建築物または画像に係る意匠に共通する特徴的な部分がある場合には、その部分について部分意匠の意匠登録も可能です。

● 「一組の飲食用具セット」の部分意匠の例 ●

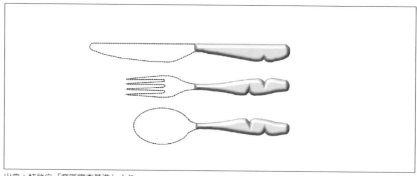

出典：特許庁「意匠審査基準」より

● 秘密意匠制度とは

　意匠権の内容は、設定登録後に発行される意匠公報により公開されますが、その公開が登録意匠を適用した製品のリリースよりも先行すると不都合を来す場合があります。このような場合に有効なのが秘密意匠制度で、出願人は、設定登録日から３年を最長とする任意の期間、意匠の内容を秘密にしておくことを請求することができます。秘密にすることが請求された意匠の意匠公報では、意匠権者などに関する書誌的な事項のみが公開され、請求された期間が経過した後に、はじめて図面や意匠に係る物品などの実体的な内容が公開されます。

34 外国における意匠権取得の手続

外国意匠権は各国への直接出願か国際出願で取得する

● 出願・権利化は原則として国単位

　日本国内で取得した意匠権の効力は、日本国内でのみ効力を有します。すなわち、日本国内における製造、販売、輸出、輸入などの行為に対しては意匠権の効力が及びますが、外国におけるこれらの行為に対しては意匠権の効力が及びません。外国においても意匠の保護を図るためには、原則として、保護が必要な国ごとに出願を行い、意匠権を取得する必要があります。

　意匠についても、日本の出願日から6か月以内であれば、パリ条約に基づく優先権（26項を参照）を主張して他の加盟国に出願することができ、この外国出願は、日本の出願日に出願されたものと同様に扱われます。ただし、日本で認められている部分意匠登録が認められていない国があったり、日本では1年間認められている新規性喪失の例外の規定が適用される期間（グレースピリオド）が、6か月しか認められていない国があったりするので、外国出願するにあたっては、各国が定める保護対象や登録要件を確認する必要があります。

● 直接ルート出願とハーグルート出願

　外国で意匠権を取得するには、二つのルートがあります。一つめは、各国の特許庁に必要な書類を提出して出願する直接ルートで、二つめは、意匠の国際登録制度を規定するハーグ協定のジュネーブ改正協定の締約国の中から権利取得したい国を指定して世界知的所有権機関（WIPO）に必要な書類を提出して出願（国際出願）するハーグルートです。

直接ルートとハーグルートのどちらを利用するかについては、条約加盟の有無、権利取得を希望する国の数、利用可能な制度の有無などに基づいて判断します。たとえば、アメリカ、欧州連合（EU）、中国において権利取得を希望する場合には、手続面や費用面で有利なハーグルートが選択されたり、アメリカのみについて権利取得を希望する場合には、直接ルートが選択されたりします。

　直接ルートとハーグルートのいずれも、パリ条約に基づく優先権を利用することにより、日本出願の出願日の利益を享受することができますが、優先期間が特許の1年よりも短く6か月ですので、注意が必要です。

● 直接ルートの例 ●

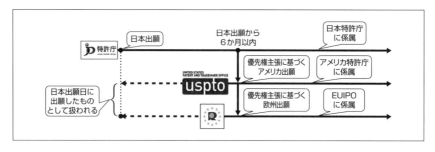

● ハーグルートの例 ●

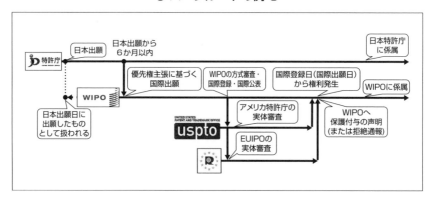

● ハーグルートの特徴

　ハーグ協定には、アメリカ、欧州連合知的財産庁（EUIPO）、イギリス、中国、韓国などの日本企業による出願件数の多い国が加盟しています。ハーグルートを利用して、複数の国で権利取得する場合には、出願手続を1か所（WIPOの国際事務局）に行えばよく、各国の代理人に委任する必要もないため、手続が簡素でコスト的なメリットもあります。出願をWIPOが受け付ける点では特許のPCTルートと共通しますが、ハーグルートでは意匠の国際登録が認められ、登録後の管理もWIPOが一括して行う点で、PCTルートと大きく異なります。

　ハーグルートで出願が行われると、WIPOの国際事務局は、方式審査をした後に、国際登録簿に意匠を登録します。国際登録された意匠は、国際登録から6か月後、または、出願人の請求により国際登録後速やかに若しくは国際登録後30か月以内の公表延期期間が経過した後に、国際公表されます。その後、出願人が出願時に指定した国（指定国）において、登録要件の有無を判断する実体審査が自動的に開始されます。各指定国における審査結果は、その指定国において国際登録に係る意匠の保護を認める「保護付与の声明」、または、保護を拒絶する「拒絶の通報」としてWIPOに送付され、WIPOはこれを出願人に通知します。拒絶の通報を受けた出願人は、拒絶の理由を解消するために、指定国に対して応答手続を行いますが、この応答手続は、指定国の代理人を選任して行う必要があります。拒絶の理由が解消すれば、指定国からWIPOに拒絶の取下げが通報され、意匠は保護されることになります。

　各指定国で保護される意匠については、国際登録日から5年ごとにWIPOに対する更新手続を行うことにより、各指定国で定められた存続期間が満了するまで権利を維持することができます。

第3節　著作権

35 著作権の保護対象

データや「表現」ではないアイデアは著作物ではない

● 著作物とは

　経済産業省の外局である特許庁が所管する特許法は、「産業の発達に寄与することを目的」とする法律ですが、文部科学省の外局である文化庁が所管する著作権法は、「文化の発展に寄与することを目的」とする法律であり、同じ知的財産権の仲間でも内容に大きな違いがあります。著作権法の保護対象は、「著作物」です。**著作物とは、「思想又は感情を創作的に表現したものであつて、文芸、学術、美術又は音楽の範囲に属するもの」**と定義されています。したがって、「思想又は感情」を伴わない単なる事実、データ及び時事の報道や、「創作的」ではない模倣品や、「表現」ではないアイデアや、「文芸、学術、美術又は音楽等」ではない工業製品は、原則的に著作物になりません。

　ただ、このような定義だけでは、具体的に何が著作物なのかわかりにくいので、著作権法では「小説、脚本、論文、講演その他の言語の著作物」「音楽の著作物」「舞踊又は無言劇の著作物」「絵画、版画、彫刻その他の美術の著作物」「建築の著作物」「地図又は学術的な性質を有する図面、図表、模型その他の図形の著作物」「映画の著作物」「写真の著作物」「プログラムの著作物」を著作物として例示しています。ちなみに、漫画は「美術」に、動画的効果のゲームは「映画」になります。他にも、新聞などの編集物で素材の選択または配列に創作性を有するものは編集著作物になり、別々の著者の記事を集めた雑誌の場合、個別の記事も著作物として保護されますが、どのような記事をどのような順番で掲載したかについても、編集著作物として保護されます。

● 著作権で保護されない著作物

　著作物であれば基本的に著作権法の保護対象になりますが、著作物であっても公益的な見地から保護対象から除かれるものがあります。著作権法では、憲法その他の法令、国や地方公共団体の機関等が発する告示や通達等、裁判所の判決や裁判に準ずる手続により行われた行政庁の裁決等、これらの翻訳物や編集物で国や地方公共団体等が作成するものは、著作権の目的となることができないと規定されています。このような著作物は、国民が広く利用する必要があるからです。

● 著作物の例 ●

著作権で保護される著作物	著作権で保護されない著作物
ⅰ　言語の著作物	ⅰ　憲法その他の法令
ⅱ　音楽の著作物	ⅱ　国や地方公共団体の機関等が発する告示や通達等
ⅲ　舞踊又は無言劇の著作物	ⅲ　裁判所の判決や裁判に準ずる手続により行われた行政庁の裁決等
ⅳ　美術の著作物	ⅳ　ⅰ〜ⅲの翻訳物や編集物で国や地方公共団体等が作成するもの
ⅴ　建築の著作物	
ⅵ　図形の著作物	
ⅶ　映画の著作物	
ⅷ　写真の著作物	
ⅸ　プログラムの著作物	

● 著作者とは

　著作権法において「著作物を創作する者」が「著作者」と定義され、著作権は最初に著作者に帰属します。日本を含むほとんどの国の著作権制度は無方式主義ですので、著作物を創作した瞬間に何らの手続も必要とせずに著作権が発生します。

　著作物が創作されたとき、「著作者」＝「著作権者」です。しかし、著作権は移転することができるため、「著作者」と「著作権者」が別人になることも珍しくありません。たとえば、音楽の著作権は一般社団法人日本音楽著作権協会（JASRAC）等に信託（期限付きの譲渡）するこ

とが多く、著作者（作詞家や作曲家）と著作権者が一時的に異なります。また、デザイナーが著作物の利用者に著作権を契約で譲ったり、相続等の一般承継によって権利者が変動したりすることもあります。

　他にも、従業員が、使用者（会社など）の発意に基づき職務上作成する著作物（使用者が自己の名義で公表を予定するもの）は、使用者が最初から著作者になります（職務著作）。私たちは仕事で毎日多くの書類や図表を作成しますが、それらが著作物であっても、従業員ではなく勤めている会社が著作者になります。

● 登録制度

　ベルヌ条約により、著作権は著作物の創作等と同時に自動的に発生するものとされており、著作権を取得するための登録制度は禁止されています（無方式主義）。しかし、著作権に関する事実関係の公示や、著作権が移転した場合の取引の安全の確保等のために、著作権法では次のような一定の事項について登録することができる登録制度を設けています。

● 著作権登録制度 ●

登録の種類	登録の内容
実名の登録 （法第75条）	無名または変名で公表された著作物の著作者はその実名（本名）の登録を受けることができる。
第一発行年月日等の登録 （法第76条）	著作権者または無名若しくは変名で公表された著作物の発行者は、当該著作物が最初に発行されまたは公表された年月日の登録を受けることができる。
創作年月日の登録 （法第76条の2）	プログラムの著作物の著作者は、当該プログラムの著作物が創作された年月日の登録を受けることができる。
著作権・著作隣接権の移転等の登録 （法第77条）	著作権若しくは著作隣接権の譲渡等、または著作権若しくは著作隣接権を目的とする質権の設定等があった場合、登録権利者または登録義務者は著作権または著作隣接権の登録を受けることができる。
出版権の設定等の登録 （法第88条）	出版権の設定、移転等、または出版権を目的とする質権の設定等があった場合、登録権利者及び登録義務者は出版権の登録を受けることができる。

出典：文化庁「著作権に関する登録制度についてよくある質問」（https://www.bunka.go.jp/seisaku/chosakuken/seidokaisetsu/toroku_seido/faq.html#faq01）をもとに著者作成

36 著作権の効力と活用

著作権は支分権の束。注意すべきこともたくさんある

● 著作権の効力

　著作権は、著作者の財産的利益を保護する権利（財産権としての著作権）と著作者の人格的利益を保護する権利（著作者人格権）の2種類の権利に分けられます。広義には、著作物等を伝達する実演家（俳優や歌手等）、レコード製作者及び放送事業者・有線放送事業者に認められている著作隣接権を著作権に含めることもあります。

● 著作権の構成 ●

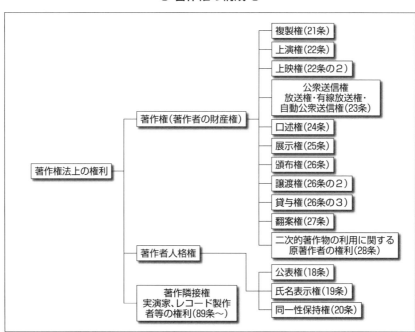

財産権としての著作権は、複製権や譲渡権等の多数の**支分権**と呼ばれる権利の束（集合体）で、主な支分権の効力（内容）は、以下のとおりです。

◉ 著作権の効力 ◉

複製権	著作物を印刷、写真、複写、録音、録画などの方法によって有形的に再製する権利
上演権・演奏権	著作物を公に上演したり、演奏したりする（上演、演奏の録音物を再生することを含む）権利
上映権	著作物を公に上映する権利
公衆送信権・公の伝達権	著作物を自動公衆送信したり、放送したり、有線放送したり、また、それらの公衆送信された著作物を受信装置を使って公に伝達する権利 ＊自動公衆送信とは、サーバーなどに蓄積された情報を公衆からのアクセスに応じ自動的に送信することをいう。また、そのサーバーに蓄積された段階を送信可能化という。
口述権	言語の著作物を朗読などの方法により口頭で公に伝える（口述の録音物を再生することを含む）権利
展示権	美術の著作物と未発行の写真の著作物の原作品を公に展示する権利
頒布権	映画の著作物の複製物を頒布（販売・貸与など）する権利
譲渡権	映画以外の著作物の原作品又は複製物を公衆へ譲渡する権利
貸与権	映画以外の著作物の複製物を公衆へ貸与する権利
翻訳権・翻案権など	著作物を翻訳、編曲、変形、翻案等する権利（二次的著作物を創作する権利）
二次的著作物の利用権	自分の著作物を原作品とする二次的著作物を利用（上記の各権利に係る行為）することについて、二次的著作物の著作権者が持つものと同じ権利

出典：公益財団法人著作権情報センターウェブサイト（https://www.cric.or.jp/qa/hajime/hajime2.html）より

　これらの支分権のうち、**複製権**は、著作権の中で最も基本的な権利です（著作権は英語でcopyrightと表記しますが、著作権制度は、もともと複製〈copy〉に関する権利〈right〉から始まりました）。たとえば新聞記事のコピーをとる行為は、複製権の侵害になります。

頒布権については、後述の譲渡権と異なり、消尽による権利制限が規定されていませんが、最高裁判決（最判平成14年4月25日）において映画の著作物の複製物の譲渡については消尽すると判断され、映画のDVDやゲームソフトの中古販売に対する著作権の行使はできないことが示されました。

譲渡権については、著作権法上、一旦適法に譲渡した後は権利を行使することができなくなる旨が規定されています。これを権利の消尽といい、著作物の転売（譲渡後の譲渡）は自由に行うことができます。

貸与権は、貸レコード業の登場に対応して創設された著作物のレンタルに関する権利で、図書館や漫画喫茶のように館内で利用する場合は、貸与になりません。

翻案権は、いわば二次的著作物を創作する権利で、著作権者の許諾なく漫画や小説をアニメ化したり、キャラクターのフィギュア（人形）を製造・販売したりすると、翻案権の侵害になります。なお、この著作権（財産権）の翻案権以外に、著作者人格権の同一性保持権も著作物の無断改変を禁じています。特に著作者と著作権者が異なる場合は、それぞれが改変を禁じる権利を持つことになるため、著作物の改変を希望する場合は、両者から許諾を得る必要があります。

二次的著作物の利用権は、二次的著作物（原著作物を翻案して創作した別の著作物）の利用について、二次的著作物の著作権者が持つ著作権と同様の権利であって、原著作物の著作権者に認められるものです。たとえば、漫画原作のアニメ作品に関して、アニメの権利者だけでなく、原作漫画家も複製権や翻案権を主張することができます。

翻案権と二次的著作物の利用権は、著作権の譲渡契約の際に明示しなければ、譲渡人から譲受人に移転しません。譲渡契約で「著作権をすべて譲渡する」と規定するだけでは、この二つの権利は移転せず譲渡人に残るので、譲受人は注意が必要です。

● 著作権の活用

　著作権者は、自己の著作権の保護対象となる著作物を第三者が権原なく利用（複製、公衆送信、翻案等）する場合に、著作権侵害を主張することができます。著作権者の許諾なく、また、著作権の制限規定（38項を参照）の要件を満たすこともなく、他人の漫画のキャラクターをプリントしたTシャツを製造・販売したり、他人の曲をインターネット上にアップロードしたり、他人のプログラムを複製したりすると、著作権侵害の責任を問われる可能性があります。著作権者は、他の知的財産権の場合と同様に、侵害に対して差止めや損害賠償等を請求することができ、侵害者には刑事罰の適用もあります。

　ただし、著作権の侵害では、**依拠性**（他の著作物に依拠して創られたこと）が求められ、翻案権の侵害では、**類似性**（表現形式上の本質的特徴を直接感得できること）が求められます。特許庁が管轄する産業財産権（特許権、実用新案権、意匠権、商標権）については、たとえば第三者が登録意匠に似た意匠を偶然実施したり、登録商標に似た商標を偶然使用しても、権利侵害が成立しますが、著作権については、第三者が既存のキャラクターと似たキャラクターを偶然創作して利用しても、依拠性に欠けるため権利侵害は成立しません。また、第三者のキャラクターが既存のキャラクターの表現形式上の本質的特徴を直接感得できないものであれば、類似性に欠けるため著作権侵害になりません。

　著作物は著作権で独占排他的に保護され、第三者による著作物の利用が排除されるので、著作物を活用したビジネスが盛んに行われています。たとえば、人気キャラクターを利用したグッズは、他のグッズと比べて大きな売上が見込めます。コンテンツ産業大手のバンダイナムコグループは、毎年自社が取り扱うコンテンツ別の売上を公表しており、2020年度は「ドラゴンボール」だけで1100億円、これに「機動戦士ガンダム」を加えると2000億円以上を売り上げています。

37 著作権の保護期間

著作権は創作したときから著作者の死後70年まで存続する

● 著作権の保護期間

著作権は、著作物を創作したときに発生し、原則として著作者の死後70年まで存続して保護します。たとえば、著作者が20歳のときに作曲し、90歳まで生存した場合は、その曲は140年間にわたって保護されることになります。

ただし、実際の保護期間の計算は単純ではありません。著作物の種類による例外規定や、例外規定に対する例外規定も存在し、また、創作や公表した年に応じて適用される法律が異なり、第二次世界大戦中の戦勝国の著作物は、それぞれの国ごとに定める保護期間の戦時加算が決められています。さらに、旧法（明治32年）下の映画の著作物については、著作者を個人（監督等）と考えるか団体（映画製作会社等）と考えるかによって保護期間が異なるため、保護期間の算出が容易ではありません。

● 原則的保護期間

著作権は、著作者が著作物を創作したときに生じ、著作者の死後70年まで存続します。期間は、死亡年（後述する公表年や創作年も同様）の翌年1月1日から起算して計算するので（暦年主義）、毎年12月31日の終了と同時に、多くの著作物の保護期間が一斉に終了します。

● 著作物の種類による例外

① 無名・変名の著作物

無名の著作物とは、著作者名の表示のない著作物です。変名の著

作物とは、ペンネームなどの本名以外の名前を表示する著作物です。これらの著作物の保護期間は、公表後70年までですが、周知な変名の場合は本名の場合と同様に著作者の死後70年までになります。たとえば、夏目漱石はペンネームですが、このペンネームから著者を特定することができるため、夏目漱石の名前で発表された著作物も本名で発表した場合と同様に夏目漱石（本名：夏目金之助）の死後70年まで保護されます。

② 団体名義の著作物

団体名義の著作物の保護期間は、公表後70年までです。ただし、創作後70年以内に公表されなければ、創作後70年までになります。

③ 映画の著作物

映画の著作物の保護期間は、団体名義の著作物と同様に、公表後70年までです。創作後70年以内に公表されなければ、創作後70年までになります。

④ 逐次公表されて完成する著作物

連載漫画のように著作物の一部ずつが公表されるものの保護期間は、最終部分が公表されてから70年までです。ただし、直近の公表から３年経過しても続きが公表されないときは、公表済みの最終部分の公表から70年までになります。

⑤ 共同著作物

共同著作物（２人以上が共同で創作して分離することができない著作物）の保護期間は、最後に死亡した著作者を基準に計算します。

● 適用法の相違による保護期間の相違

著作権法は幾度も改正され、いわゆる旧法（明治32年法）が適用されるのか、新法（昭和45年法）が適用されるのか、新法の改正法が適用されるのかによって、保護期間が変わります。たとえば、団体名義の映画の著作物の保護期間は、旧法だと公表後33年まで、新法（昭和45年法）

だと公表後50年まで、新法の平成15年改正法だと公表後70年までになります。

　法改正により保護期間の長さが変更される場合には、それぞれの改正法の施行の際、現に著作権が消滅していない著作物のみが変更された保護期間の適用を受けます（旧法時代の著作物の保護期間については、変更後の保護期間と比べて旧法に定められた保護期間のほうが長い場合には、その長い保護期間が適用されます）。

● 適用法の相違による保護期間の相違 ●

著作物の種類	公表名義の別	旧法による保護期間	昭和45年(1970年)法(昭和46年(1971年)1月1日施行)制定後の保護期間	平成8年(1996年)著作権法(平成9年(1997年)3月25日施行)改正後の保護期間	平成15年(2003年)著作権法改正(平成16年(2004年)1月1日施行)後の保護期間	平成28年(2016年)著作権法改正(平成30年(2018年)12月30日施行)後の保護期間
映画・写真以外の著作物(小説、美術、音楽、建築、コンピュータ・プログラムなど)	実名(生前公表)	死後38年間	死後50年間			死後70年間
	実名(死後公表)	公表後38年間	死後50年間			死後70年間
	無名・変名	公表後38年間	公表後50年間			公表後70年間
	団体名義	公表後33年間	公表後50年間			公表後70年間
写真の著作物	─	発行又は創作後13年間	公表後50年間	死後50年間		死後70年間
映画の著作物(独創性のあるもの(劇場用映画など))	実名(生前公表)	死後38年間	公表後50年間		公表後70年間	
	実名(死後公表)	公表後38年間	公表後50年間		公表後70年間	
	無名・変名	公表後38年間	公表後50年間		公表後70年間	
	団体名義	公表後33年間	公表後50年間		公表後70年間	
映画の著作物(独創性のないもの(ニュース映画、記録映画など))	─	発行又は創作後13年間	公表後50年間		公表後70年間	

出典：文化庁「著作物等の保護期間の延長に関するＱ＆Ａ」(https://www.bunka.go.jp/seisaku/chosakuken/hokaisei/kantaiheiyo_chosakuken/1411890.html) より

　なお、平成16年1月1日施行の平成15年改正著作権法により、映画の著作物の保護期間は公表後50年から公表後70年に延長されましたが、施行日の前日である平成15年12月31日に満了する著作物（1953年に公開された映画等）の保護期間については延長されないことが、シェーン事件の最高裁判決（最判平成19年12月18日）で示されています。

38 著作権が制限される場合

一定の条件で、教育機関の授業のための公衆送信が可能に

著作権の制限の必要性

　著作権は独占排他的な権利ですので、他人の著作物を利用したいときには、著作権者から許諾を得る必要があります。しかし、常に許諾を得なければならないとすると、不都合が多いため、著作権法には、著作権者の許諾なく著作物を利用することができる（著作権を制限する）規定が設けられています。情報伝達技術の急速な発達・普及に伴い、著作物の利用方法も多様化しているため、著作権を制限する規定は近年何度も見直しが行われています。

私的使用目的の複製

　個人的または家庭内その他これに準ずる限られた範囲内での使用（私的使用）を目的とする場合は、著作権者の許諾を得なくても著作物を複製することができます。私的な使用であれば他人の著作物を自由に利用可能と誤解されることがありますが、私的使用目的の複製に該当するためには、個人的な限られた範囲内で、本人が複製する必要があります。

　たとえば、仕事に使う目的で資料をコピーする行為は、個人で使用するものであっても私的使用目的になりません。また、購入した書籍を購入者が裁断、スキャンして電子化すること（いわゆる自炊）は、私的使用目的の複製になりますが、業者に電子化を依頼すると、業者のスキャン行為が複製権侵害になります。また、誰でも利用可能なダビング機等で複製する場合、コピーガードを解除して複製する場合、著作権を侵害するインターネット送信と知りながら録音・録画する場合は、私的使用

目的から除かれており、これらの行為は著作権の侵害に該当します。

● 引用

　他人の著作物は、著作権法上の「引用」に該当すれば、自らの文章などにとり入れることができます。引用に該当するためには、公表（公衆に提示）された著作物であること、公正な慣行に合致すること、報道、批評、研究その他の引用の目的上正当な範囲内であること、出所（出典）を明示することが必要です。「公正な慣行に合致」とは、社会感覚として妥当と認められる行為のことですが、過去の裁判例では、より具体的に、明瞭区分性（引用部分が明瞭に区別されているか）、主従関係（引用部分が質・量とも従たる存在であるか）、必要最小限（引用部分が引用目的に添って必要最小限であるか）等の条件から、「公正な慣行」や「正当な範囲」であるか否かが判断されています。

● 柔軟な権利制限規定

　アメリカには、フェアユースと呼ばれる包括的な著作権の制限規定が存在し、利用目的、著作物の性質、利用量と重要性、市場への影響などの観点で公正と考えられる著作物の利用は、著作権侵害になりません。このような包括的に権利を制限する制度は、インターネットを利用した新しいサービスの登場などに法律が対応しやすいというメリットがあります。

　一方、日本では、著作物の許諾なき利用に個別具体的な条件を求める権利制限規定がいくつも存在してわかりにくいうえに、新しいネットワークサービスも著作権侵害のリスクから生まれにくいという不都合がありました。過去に日本でもフェアユースの導入について文化庁の審議会で検討されたことはありますが、具体的な境界を裁判例の集積で明確にするアメリカのコモンロー的な考え方が日本でなじんでおらず、現在に至るまで導入されていません。ただし、平成30年の著作権法の改正にお

いて、「**柔軟な権利制限規定**」と呼ばれる従来よりも条件が抽象的な３つの規定が、いくつかの旧規定を統合する形で追加されました。この柔軟な権利制限規定によって、日本でも新しいインターネットサービスが生まれやすくなると期待されています。

● 柔軟な権利制限規定により可能な著作物の利用 ●

利用態様	例
著作物に表現された思想または感情の享受を目的としない利用	絵を描くＡＩを開発するために絵を学習させる目的で他人の絵画（著作物）を読み込ませること
電子計算機における著作物の利用に付随する利用	コンピュータの自動的なバックアップ
新たな知見・情報を創出する電子計算機による情報処理の結果提供に付随する軽微利用	書籍の本文を検索するサービスで、検索結果として、該当する書籍の本文の一部を表示すること

● 他の権利制限規定

　著作権法には、以上の他にも、写真や映像への一定の写りこみ、著作物の利用を検討する過程で必要な限度内の利用、教育機関での一定の利用、図書館や美術館での一定の利用、障害者に関する一定の利用、報道や放送に関する一定の利用、司法や行政での一定の利用、非営利・無料の場合の一定の利用、美術品等に関する一定の利用、プログラムやコンピュータネットワークに関する一定の利用などを許容する規定があり、各規定の要件を満たせば、著作権者から許諾を得なくても著作物を適法に利用することができます。

● 授業目的公衆送信補償金制度

　教育機関の授業の過程における著作物の利用は、対面授業のための複製、または、対面授業で複製等したものの同時中継の遠隔合同授業のた

めの公衆送信であれば、著作権者の許諾を得なくても可能でした。しかし、それ以外の公衆送信については、著作権者の許諾が必要であり、教育関係者からは、権利処理が煩雑でICTを活用した教育において必要な著作物を円滑に利用することができないとの声があがっていました。

　そこで、平成30年に改正された著作権法では、教育機関の授業の過程における公衆送信による著作物の利用を広く権利制限の対象にして、国内外のすべての著作物について、無許諾で公衆送信することが可能となりました。新たに無許諾で利用が可能となる公衆送信については、文化庁長官の指定する管理団体（一般社団法人授業目的公衆送信補償金等管理協会（SARTRAS））への補償金の支払いが必要ですが、この補償金さえ支払えば、著作権者から利用を断られる心配なく、著作物を一定期間内に何度でも適法に利用することができます。ただし、利用は、必要と認められる限度において、著作権者の利益を不当に害しないものであることが必要です。

● 裁定制度

　著作物を利用したくても、著作権者（またはその相続人）が不明であったり、著作権者の所在が不明であったりして、許諾を得られない場合があります。このような場合でも、文化庁長官の裁定を受け、通常の使用料額に相当する補償金を供託すれば、著作物を利用することができます。裁定申請にあたっては、あらかじめ権利者と連絡を取るための「相当の努力」を行う必要があります。この「相当の努力」として、著作権法施行令には、広く権利者情報を掲載する資料の閲覧（名簿・名鑑等の閲覧またはインターネット検索）、広く権利者情報を有している者（著作権等管理事業者及び関連する著作者団体等）への照会、公衆に対する情報提供の呼びかけ（日刊新聞紙または公益社団法人著作権情報センターへの広告掲載）のすべての措置をとるべきことが定められています。

39 著作者人格権

著作物の利用には著作者への配慮も必要

● 著作者人格権とは

　著作権は、財産権としての著作権と著作者人格権の2種類の権利に分けられます（36項を参照）。このうち著作者人格権は、著作者の人格的利益を保護する権利であり、著作者が精神的・感情的に不利益を受けないための権利です。著作権（財産権）は移転することができますが、著作者人格権は著作者から離れることはなく、これを**一身専属性**といいます。著作者人格権は、著作者が死亡すれば消滅しますが、著作者の死亡後もその遺族（または遺言により著作者から指定された者）に対し、著作者の死亡後70年間か遺族が存在する期間の長いほうの間、著作者人格権と同等の保護が認められるので、著作者の死亡後も、遺族がいる限り、著作者人格権を侵害する行為は違法となります。

　また、著作者と著作権者が異なることもよくありますが、著作権者から翻案権を含む許諾を得た場合でも、著作物の改変に関して著作者から人格権を行使されないように手当てする必要があります。

　著作者人格権の内容は、下表のとおりです。

◉ 著作者人格権の内容 ◉

公表権	自分の著作物で、まだ公表されていないものを公表するかしないか、するとすれば、いつ、どのような方法で公表するかを決めることができる権利
氏名表示権	自分の著作物を公表するときに、著作者名を表示するかしないか、するとすれば、実名か変名かを決めることができる権利
同一性保持権	自分の著作物の内容又は題号を自分の意に反して勝手に改変されない権利

出典：公益財団法人著作権情報センターウェブサイトより

　公表権については、著作者が著作権（財産権）を譲渡した場合や、美術の著作物の原作品や写真の著作物の原作品を譲渡した場合に譲受人が公表することに同意したと推定されます。また、著作権法の規定により映画の著作物の著作権が映画製作者に帰属している場合も、映画製作者が公表することに同意したと推定されます。このような場合に譲受人に公表の自由を認めないと、著作権や原作品を譲り受けた意味がなくなるからです。

　著作者は、**氏名表示権**についても常に行使可能ではなく、著作者以外による著作物の利用が、著作者が創作者であることを主張する利益を害さず、公正な慣行に反しない場合には、氏名表示を省略することができます。たとえば、店内のＢＧＭとして曲を流す場合に、作曲家名を示す必要はありません。

　同一性保持権は、著作者の意に反する改変を禁じる権利で、たとえ著作物の改変をコントロール可能な翻案権を有する著作権者が著作物を改変する場合であっても、著作者は同一性保持権に基づいてその改変をやめさせることができます。

　ただし、学校教育の目的上やむを得ない場合、建築物の改築等、プログラムの著作物の必要な修正（デバッグやバージョンアップ等）、その他著作物の性質、利用目的及び態様に照らしてやむを得ない改変については、著作者の同意がなくても著作権者及び著作権者から許諾を受けた者は著作物を改変することができます。

　また、実務上は、著作者から著作権を譲り受ける際に、著作者が著作者人格権を行使しない旨の契約を締結して、譲受人の改変の自由を確保することがあります。

● 著作者人格権の侵害

　著作者人格権の侵害に対して著作者は、著作権（財産権）の侵害の場合と同様に、侵害行為の差止めや損害賠償等を請求することができます。

また、著作者の死亡後も、遺族（死亡した著作者の配偶者、子、父母、孫、祖父母または兄弟姉妹）または遺言により著作者から指定された者は、著作者人格権と同様の権利を行使することができます。

　著作者人格権に関する最近の裁判例として、インターネット上の短文投稿サイト「ツイッター」で他人が撮影した写真を無断でプロフィール画像に使用した氏名不詳者のツイートを別人がリツイートすると、リツイート者が写真の氏名表示権を侵害したことになると判断したものがあります（最高裁令和2年7月21日）。ツイッターで他人のツイートをリツイートすると、タイムライン上で元のツイートのプロフィール画像が自動的にトリミングされて表示されるため、本件では氏名表示部分が削られて、このような判断になりました。この写真の自動トリミングはツイッターの仕様であり、リツイート者が意図して写真を改変したわけではないので疑問も感じますが、他人の画像や写真を無断で利用しているツイートをリツイートする際は、注意を要します。

40 著作隣接権

著作隣接権は著作物の伝達者を保護

● 著作隣接権とは

著作権とは、一般的に著作権（財産権）と著作者人格権の二つを指しますが、広義には、著作隣接権を含めることもあります。著作隣接権とは、著作物など（著作物に限定されません）を伝達する実演家、レコード製作者、放送事業者、有線放送事業者に認められている権利の総称です。これら四者は、著作物などを伝達するために、著作物の創作活動に準じた創作的な活動を行っているため、著作権に準じた保護を与えて、適切に伝達活動が行えるようにしています。

このうち、実演家には人格権と財産権が認められ、レコード製作者、放送事業者及び有線放送事業者には、財産権のみが認められています。著作隣接権は、著作権（財産権と人格権）の場合と同様に、実演、レコード製作（最初の録音）、放送、有線放送などの行為が行われた瞬間に、何らの手続も必要とせず権利が発生しますが、著作権（人格権と財産権）と異なり創作性は不要です。

● 実演家の権利

実演とは、著作物などを演劇的に演じ、舞い、演奏し、歌い、口演し、朗詠し、またはその他の方法により演ずることをいいます。ものまねや大道芸も著作物を演じていませんが実演になります。

実演家とは、俳優、舞踊家、演奏家、歌手その他実演を行う者及び実演を指揮し、または演出する者をいいます。漫才師や奇術師のほか、オーケストラの指揮者や舞台の演出家も実演家になります。

著作隣接権者の中で、実演家にだけ人格権が認められています。この人格権は、著作者人格権と同様に、実演家の人格的利益を保護し、実演家が精神的・感情的に不利益を受けないための権利で、実演家から移転することができません。実演家の人格権に公表権は含まれず、氏名表示権と同一性保持権の二つだけです。

　実演家の財産権は、大きく分けて、行為を独占することができる（他人の利用を止められる）許諾権と、行為の独占はできなくても利用者に報酬を請求することができる報酬請求権の二つがあります。許諾権は、録音権・録画権、放送権・有線放送権、送信可能化権、譲渡権、貸与権が対象になり、報酬請求権は、ＣＤ等の放送・有線放送、ＣＤ等のレンタル、生放送の同時有線放送が対象になります。その保護期間は、実演の翌年から起算して70年までです。

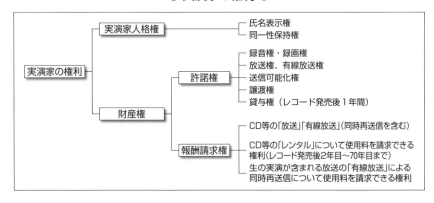

◉ 実演家の権利 ◉

● レコード製作者の権利

　レコードとは、媒体を問わず音が固定されたものを指し、レコード製作者とは、ある音を最初に固定（録音）してレコードの原盤を作った者です。

　実演家と異なり、レコード製作者に人格権はありませんが、実演家と

同様に、レコード製作者の財産権にも許諾権と報酬請求権があります。許諾権は、複製権、送信可能化権、譲渡権、レコード発売後1年間の貸与権が対象になり、報酬請求権は、CD等の放送・有線放送、CD等の発売後2年目〜70年目までのレンタルが対象になります。その保護期間は、レコードの発行（発売）の翌年から起算して70年までで、発行されなかったときは、固定（録音）の翌年から起算して70年までです。

● レコード製作者の権利 ●

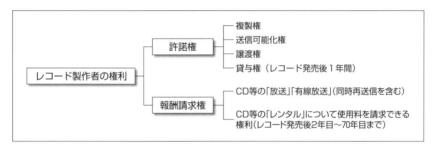

放送事業者・有線放送事業者の権利

「放送・有線放送」とは、番組が常に受信者の手元まで届く無線・有線放送を指し、「放送事業者・有線放送事業者」とは、放送・有線放送を業として行う者です。

　実演家と異なり、放送事業者・有線放送事業者に人格権はなく、実演家やレコード製作者と異なり、放送事業者・有線放送事業者の財産権は許諾権のみとなります。許諾権は、複製権、（再）放送権・（再）有線放送権、送信可能化権、テレビ放送の公の伝達権が対象になり、その保護期間は、放送・有線放送の翌年から起算して50年までです。

◉ 放送事業者の権利 ◉

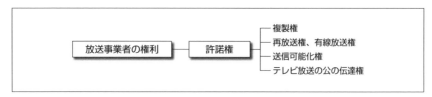

◉ 有線放送事業者の権利 ◉

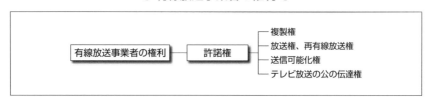

41 著作権等管理事業者

著作権を管理・収益化するプロで、現在は28業者ある

● 著作権等管理事業者とは

　著作権等管理事業者とは、著作権者や著作隣接権者との信託契約（期限付きの譲渡契約）や委任契約に基づき、著作権や著作隣接権の管理（利用の許諾、利用料の徴収、権利者への分配等）を行う事業者です。2001年（平成13年）10月施行の「著作権等管理事業法」（管理事業法）に基づいて文化庁長官の登録を受けています。

　著作物の利用者からすると、個々の著作権者が自身の著作権を管理している状態だと、利用したい著作物ごとに著作権者を特定して連絡先を探し、利用の許諾についてゼロから交渉しなければならず、交渉しなければ許諾されるかどうかも不確定で、非常に不便です。また、著作者も、著作物の創作は本業かもしれませんが、著作権の管理、ライセンス交渉、侵害の監視や利用料の徴収などについての専門知識は通常有しておらず、このような管理業務を自らすべて行うのは煩雑です。

　従来、著作権の管理事業に関しては、1966年（昭和41年）成立の「著作権に関する仲介業務に関する法律」（仲介業務法）により管理事業者を選定していました。しかし、同法が、許可制によって事実上、新規事業者の参入を制限していたことや、規定の内容がIT時代の著作物の利用実態に対応しきれていないこともあり、平成13年施行の管理事業法から登録制に変更し、適用範囲も基本的に著作権と著作隣接権の全範囲に拡張して、現在は28の管理事業者が登録を受けています。

　また、著作権の情報（著作権者の情報を含みます）に関しては、官民を挙げて、利用者にとって使いやすい各著作物の分野で集中・統合され

たデータベースの作成や運用方法が模索されています。

● 主な管理事業者

　著作権の管理団体として真っ先に思い浮かぶのは、一般社団法人日本音楽著作権協会（JASRAC）でしょう。著作権者にとっては、著作物を収益化してお金を分配してくれる頼もしい組織ですが、利用者（特に無断利用者）にとっては、もしかすると借金取りのような怖ろしい存在かもしれません。管理事業法の施行後の現在では、株式会社NexToneも音楽著作権分野の管理事業者として登録されているので、JASRACの独占ではなくなりましたが、NexToneの管理楽曲が約22万作品であるのに対して、JASRACの管理楽曲は約460万作品であり、JASRACは依然として圧倒的な存在感を誇っています。JASRACが音楽教室から著作権料を新たに徴収しようとして音楽教室側と対立し、2017年に音楽教室らで作る団体がJASRACには著作権料の請求権が無いことの確認を求めて東京地裁に訴訟を提起し、2021年に知的財産高等裁判所でJASRACの請求権を一部認める判決が出たのは記憶に新しいところです。

　JASRAC以外にも各分野に管理事業者が存在しています。音楽以外の分野では、小説などの文藝の著作物の利用を許諾する公益社団法人日本文藝家協会（文藝家協会）や、写真の著作物の利用を許諾する協同組合日本写真家ユニオンなどがあります。

◉ 著作権等管理事業者登録状況一覧 ◉

（令和3年11月1日現在）

登録番号	名　称	取り扱う著作物等の種類
01001	一般社団法人　日本音楽著作権協会	音楽
01002	公益社団法人　日本文藝家協会	言語
01003	協同組合　日本脚本家連盟	言語
01004	協同組合　日本シナリオ作家協会	言語
01005	株式会社　NexTone	音楽、レコード
01006	株式会社　東京美術倶楽部	美術、言語
01008	公益社団法人　日本複製権センター	言語、美術、図形、写真、音楽、舞踊又は無言劇、プログラム、編集著作物
02001	一般社団法人　日本レコード協会	レコード、実演
02004	一般社団法人　学術著作権協会	言語、図形、写真、プログラム、編集著作物、美術、建築、映画、音楽、舞踊又は無言劇
02005	公益社団法人　日本芸能実演家団体協議会	実演
02006	一般社団法人　日本美術家連盟	美術
02007	株式会社　メディアリンクス・ジャパン	美術、写真、言語
02010	一般社団法人　教科書著作権協会	言語、音楽、美術、図形、写真
02013	有限会社　コーベット・フォトエージェンシー	写真、言語、美術、図形
03010	一般社団法人　日本出版著作権協会	言語、写真、図形、美術
04001	一般社団法人　出版物貸与権管理センター	言語、美術、写真、図形
05001	株式会社　International Copyright Association	音楽、レコード
06001	協同組合　日本写真家ユニオン	写真
07002	一般社団法人　出版者著作権管理機構	言語、美術、図形、写真、編集著作物
08001	株式会社　アイ・シー・エージェンシー	音楽、レコード、実演
09002	株式会社　日本ビジュアル著作権協会	言語、美術、図形、映画、写真
10001	一般社団法人　ワールドミュージックインターネット放送協会	音楽、レコード、実演、映画
12001	一般社団法人　日本美術著作権協会	美術
13001	一般社団法人　日本テレビジョン放送著作権協会	映画、放送
14001	一般社団法人　映像コンテンツ権利処理機構	実演
18001	公益社団法人　日本漫画家協会	言語、美術

以下の事業者は、著作権等管理事業の開始準備中です。（管理委託契約約款及び使用料規程を定め、文化庁へ届出をしなければ事業を開始できません。）

登録番号	名　称	取り扱う著作物等の種類
15001	一般社団法人　日本ケーブルテレビ連盟	映画、有線放送
20001	一般社団法人　授業目的公衆送信補償金等管理協会	言語、音楽、舞踏又は無言劇、美術、建築、図形、映画、写真、プログラム、実演、レコード、放送、有線放送

出典：文化庁ウェブサイト（https://www.bunka.go.jp/seisaku/chosakuken/seidokaisetsu/kanrijigyoho/toroku_jokyo/pdf/93546701_01.pdf）を参考に作成

42 AIと著作権

小説や作曲などの生成物に対する著作権保護は検討途上

● AIによる創作活動の発達

　人工知能とは、推論や判断などの知的な機能を備えたコンピュータシステムのことです（岩村出編『広辞苑（第7版）』岩波書店）。英語の「Artificial Intelligence」の頭文字を取って「AI」とも呼ばれています。従来のコンピュータシステムは、複雑な計算やデータの検索などの正解が明らかな処理は得意でも、人間による知的な創作活動のような新しいものを生み出す処理は、難しいとされていました。そのため、コンピュータはあくまでも人間が著作物を創作する際のツールとして使われ（音楽の電子楽器や、文書作成のワードプロセッサや描画用のドローイングソフトなど）、ドラえもんや鉄腕アトムのようにロボットが自ら思考したり新しいものを作り出したりすることは、SFの中だけのことでした。

　しかし、近年、ビッグデータ（様々な種類の大量のデータ）の活用が本格化し、コンピュータの学習方法も従来のような大量のデータを入力するだけの機械学習から、自らの判断を誘発させる深層学習（ディープラーニング）に進化したことにより、人間の創作活動のような汎用性はないものの、特定の分野の著作物（コンピュータに思想または感情がないことからすると、語弊があるかもしれませんが）を作成するコンピュータが次々と登場しています。

　小説分野では、人間以外からの応募を認めている日経「星新一賞」の第3回（2015年発表）において、公立はこだて未来大学の松原仁教授らによる「きまぐれ人工知能プロジェクト 作家ですのよ」プロジェクトの人工知能が作成した小説が、第一次審査を通過したとして話題になり

ました。当時はまだ8割を人間が作成（条件設定や修正など）していたようですが、現在はおそらく人間の関与の程度を減らしていると思われます。

　音楽分野では、既に海外を中心に多くの作曲ソフトが発表されており、ソニーコンピュータサイエンス研究所が開発したAIソフト「Flow Machines」が作曲してフランス人音楽家ブノワ・カレ氏が作詞・編曲した「Daddy's Car」は、YouTubeで280万回以上、再生されています。

　絵画分野では、2018年10月に、フランスの芸術チームObviousがAIで作成した肖像画について、アメリカの有名オークションのクリスティーズで約4900万円の価格がついたことが話題になりました。また、2016年には、レンブラントの画風を学習した人工知能が、一定の条件（人種、性別、年齢、服装、向き等）の入力により生成した絵画が、まるでレンブラントの新作絵画だとして話題になりました。

◉ AIが作成した絵画 ◉

「Edmond de Belamy, from La Famille de Belamy」

出典：https://obvious-art.com/より

● AIの生成物に対する著作権保護

　このように、現在は、人工知能が独自に様々な著作物を作成する一歩手前まで来ている状況といえます。それでは、もし人工知能が著作物を創作したとして、その作品の著作権は、人工知能自体、人工知能の開発者、人工知能を利用して作品を生成した人工知能の利用者のうち、一体誰が持つのでしょうか。

　日本の著作権法は、「著作物」を「思想又は感情を創作的に表現したものであつて、文芸、学術、美術又は音楽の範囲に属するもの」と、「著作者」を「著作物を創作する者」と定義しており、人間が創作することを前提にしています（外国も概ね同様です）。そのため、少なくとも人工知能自体が著作者になることはありません。また、人工知能の開発者は、その後に作成される著作物に関して「思想又は感情を創作的に表現」したわけではないので、やはり著作者になれません。一方、人工知能の利用者の場合はケースバイケースです。利用者が単に条件を入力した程度では著作者になれませんが、人工知能を道具として利用し、自己の思想または感情を創作的に表現したことが認められれば、著作者になりそうです。

　したがって、もし人工知能が自律的に著作物を創作したとしても、著作者が存在しないケースが多そうです。著作権法が人間の創作を前提としているという理由以外にも、人工知能は、人間と異なり、24時間休みなく、短い時間で膨大な作品を生成し続けられることを考えると、人工知能に人間と同じ枠組みで著作権を認めることは難しそうです。人工知能が生成した著作物に将来的に何らかの保護を与えるかどうかについて、わが国でも検討が続けられていますが、人間が創作した著作物と人工知能が生成した著作物を見分ける術がなく、結論は出ていません。

第4章

営業上の信用を保護する
知的財産権

第1節　商標権

第2節　不正競争防止法に基づく権利

第1節　商標権

商標権の保護対象

文字、図形などに色彩やホログラム、音などが加わった

● 商標制度の目的と「商標」

　商標制度は、商標を保護することにより商標の使用をする者の業務上の信用の維持を図って、産業の発達に寄与すること及び需要者の利益を保護することを目的としており、商標権の保護対象は「商標」です。

　私たちは、商品の購入時やサービス（役務）の利用時に、商品や広告に表示された会社名・商品名・ロゴマークなどの識別標識を目印にして商品や役務を選択しています。このような、ある事業者の商品や役務と他の事業者の商品や役務を区別するための識別標識が商標で、有名な商標のことを「ブランド」と呼ぶこともあります。現在の自由経済社会における商品取引や役務提供は、需要者の選択の自由に委ねられていますが、この選択の自由は、需要者の望む商品や役務に識別標識である商標が表示されて初めて可能になり、商標は、自由競争原理を支えているともいえます。

　商標法では、商標は、人の知覚によって認識することができるもののうち、文字、図形、記号、立体的形状若しくは色彩又はこれらの結合、音その他政令で定めるもの（これを「標章」といいます）であって、業として商品又は役務について使用するものと定められています。

　特許や意匠は知的な創作で、保護する必要が高いのも当然ですが、なぜ文字や図形等に過ぎない商標も同様に商標権（独占排他権）で保護されるのでしょうか。その答えは、商標が保護されない状態を想像すれば理解することができます。あるメーカーが長年にわたって高品質の商品を市場に供給し、需要者から高く評価されたとしても、仮に商標が保護

されなければ、同じ会社名や同じ商品名のコピー商品が市場にあふれ、需要者は低品質のコピー商品と高品質の本物の商品（真正商品）を区別することができなくなって困り、また、このメーカーも真正商品が売れなくなり困ります。このような取引秩序の混乱を避け、優れた商品や役務を市場に供給する事業者が健全に発展することができるように（商標法の「産業の発達に寄与」と「需要者の利益を保護」の目的が果たされるように）、商標は保護されています。

● 商標の種類

　日本では、従来、文字商標、図形商標、文字と図形が結合した結合商標、立体商標が商標権の保護対象でしたが、最近では、色彩のみからなる色彩商標、図形や色彩を商品に付す位置で特定される位置商標、文字や図形が変化する動き商標、文字や図形がホログラフィーにより変化するホログラム商標、音商標も保護対象に加わりました。外国では、におい（香り）や味などの商標が保護されることもあります。

◉ 商標権の保護対象となる商標の例 ◉

〈文字商標〉
（登録第5460677号）

〈図形商標〉
（登録第3085606号）

〈立体商標〉
（登録第6031305号）

〈音商標〉
（商願2017-007811）

〈動き商標〉
（登録第5804303号）

● 商標の機能

　商標は、使用されることによって、以下の三つの機能を発揮します。これらの機能が害されると商標の使用者にも需要者（一般消費者や取引業者）にも不利益が及ぶため、商標を保護する必要があります。

①　出所表示機能

　　出所表示機能とは、商品又は役務の出所が誰であるのかを表示する機能です。この機能のおかげで、需要者は目当ての商品や役務を購入することができます。

②　品質保証機能

　　品質保証機能とは、商品の品質または役務の質が一定のものであることを保証する機能です。商品の生産者や役務の提供者が一定の品質や質を保った商品や役務を提供し続けて需要者の信用を獲得した場合には、需要者は商標だけでその商品が一定の品質を有し、役務が一定の質を有していることがわかるので、安心してその商品や役務を購入することができます。ブランド価値の高い商標は、商標だけで商品の品質や役務の質について需要者の信用を獲得し、その購入につなげることができます。

③　宣伝・広告機能

　　宣伝・広告機能とは、商標が、商品や役務の購買や利用を喚起させる機能です。市場において信用や評価を獲得した商標は、商標自体が需要を喚起します。

44 商標権の効力と活用

商標権の取得により自らの商標使用を安泰化できる

● 商標権の効力

　事業者が自ら使用する商標について商標登録出願をして商標登録されると、商標権が発生し、商標権者になります（**45**項を参照）。商標登録出願では、その商標を使用する商品又は役務（サービス）を指定し、商標権者は、商標登録された商標（**登録商標**）を指定商品又は指定役務について独占排他的に使用することができます（**専用権**）。商標権者が指定商品又は指定役務に登録商標を使用している限り、他人の商標権を侵害することにはならず、商標権は、自らの商標使用を安泰化するものといえます。

　また、商標権者は、権原のない第三者が、指定商品若しくは指定役務又はこれらに類似する商品若しくは役務について、登録商標またはこれに類似する商標を使用することを排除することができ（**禁止権**）、このような第三者に対し、商標使用の差止めや損害賠償などを請求することができます。商標権の侵害者には、刑事罰の適用もあります。

　なお、日本の商標権の効力は日本全国に及びますが、外国には及びません（**属地主義**）。外国で商標を独占的に使用したい場合には、その国で商標権を取得する必要があります。外国で商標権を取得するには、その国の官庁に直接出願する方法と、日本の商標登録出願または商標登録を基礎としてマドリッド協定議定書に基づく国際登録出願をする方法があります（**48**項を参照）。

◉ 商標権の効力 ◉

第三者の使用商標とその商標を使用する商品／役務		権利主張の可否
使用商標と登録商標との関係	使用商品／役務と指定商品／指定役務との関係	
同　一	同　一	○
	類　似	○
	非類似	×
類　似	同　一	○
	類　似	○
	非類似	×
非類似	同　一	×
	類　似	×
	非類似	×

● 商標権の効力が及ばない範囲

　商標権の効力は、以下の商標には及ばず、商標権者は商標権侵害を主張することができません。

① 　自己の肖像・氏名・名称・著名な略称等を普通に用いられる方法で表示する商標

② 　商品又は役務の特徴（普通名称・産地・販売地・提供場所・品質・質・原材料・効能・用途・形状・生産方法・使用方法等）、数量、価格を普通に用いられる方法で表示する商標（例：地名の「TOKYO」、清酒についての「吟醸」）

③ 　商品又は役務について慣用されている商標（例：宿泊施設の提供についての「観光ホテル」）

④ 　需要者が何人かの業務に係る商品又は役務であることを認識することができる態様で使用されていない商標（例：元号の「令和」、地模様）

⑤ 　特定農林水産物等の名称の保護に関する法律（地理的表示法）に基づいて不正競争の目的なく登録（特定農林水産物等の登録）に係る特定農林水産物等に付す地理的表示（例：地理的表示の「神戸ビーフ」）

● 防護標章登録

著名な登録商標は、他人が指定商品又は指定役務と非類似の商品又は役務についてその登録商標を使用しても混同を生じる場合があります。そこで、著名商標の商標権者は、通常の商標登録に加えて、自身の業務分野と非類似の商品又は役務についても第三者の使用により混同のおそれがあることを条件に**防護標章**の登録を受けることができます。これにより、非類似の商品又は役務についても著名商標の禁止権の範囲を拡張して、第三者の使用による混同を防止することができます。登録商標は、３年間の不使用で商標登録の取消しの対象になりますが、防護標章登録は使用を前提としていないため、防護標章登録の指定商品または指定役務について登録商標を不使用でも取り消されません。

● 商標権の活用とブランド価値

商標権は、まず、自らの商標使用を安泰とすることに活用されますが、他にも、商標権者は、第三者に登録商標の使用を許諾してライセンス料を得たり、商標権を担保として融資を受けたり、商標権を譲渡して事業資金を得たりして活用することも可能です。

商標権の活用に際しては、無名な商標よりも有名な商標の価値のほうが高く、このような商標の価値をブランド価値と呼ぶこともあります。世界最大のブランドコンサルティング企業であるInterbrand社は、毎年、日本や世界の有名企業のブランド価値をランキング形式で発表しており、2021年の日本のランキングトップの「TOYOTA」のブランド価値を515億9500万米ドル、11位の「SoftBank」のブランド価値を49億5800万米ドルと算定しています。「SoftBank」ブランドについては、2018年、ソフトバンクグループ株式会社が「ソフトバンク」ブランドの一部に係る原則無期限の使用権の許諾をソフトバンク株式会社に3500億円で与えました。

45

商標権取得の手続

取得のポイントは、商標と指定商品・指定役務の記載にある

● 商標登録出願から商標権成立まで

商標権を取得するには、願書（商標登録願）を特許庁に提出して商標登録出願を行い、審査を経て設定登録される必要があります。

● 商標登録出願の流れ ●

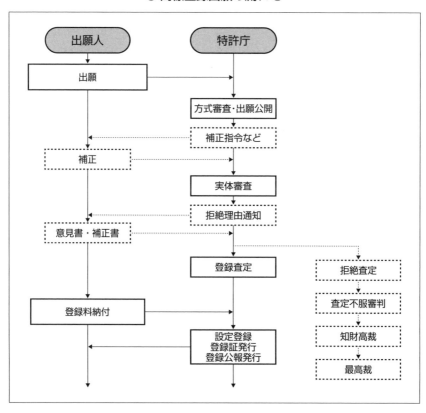

① 出願

出願書類（願書）を特許庁にインターネット出願システムまたは郵送により提出します。願書には、商標登録を受けようとする商標と指定商品または指定役務を記載します。

② 方式審査・出願公開

出願書類については方式的な審査が行われ、また、出願の内容は、出願後１か月程度が経過すると公開されます。

③ 実体審査・拒絶理由通知

特許庁の審査官により、出願が商標登録要件を満たしているかどうかの審査が行われ、以下に該当すると認められた商標については、拒絶理由が通知されます。

・**自己と他人の商品又は役務を識別することができないもの**

商標は、出所を表示する識別標識ですので、他人の商品又は役務と識別することができない商標は、識別力がないとして商標登録されません。ただし、使用の結果、需要者が何人かの業務に係る商品又は役務であることを認識することができるようになった商標については、商標登録が認められます。

● 識別力がなく拒絶される商標の例 ●

商標	例
商品又は役務の普通名称を普通に用いられる方法で表示する標章のみからなる商標	スマートフォンに「スマホ」
商品又は役務について慣用されている商標	宿泊施設の提供に商標「観光ホテル」
商品又は役務の品質等を普通に用いられる方法で表示する標章のみからなる商標	地名の「ＴＯＫＹＯ」、清酒に「吟醸」
ありふれた氏または名称を普通に用いられる方法で表示する標章のみからなる商標	「株式会社ナカニシ」、「田中屋」
きわめて簡単で、かつ、ありふれた標章のみからなる商標	図形「△」、欧文字２字の「ＡＢ」
その他需要者が何人かの業務に係る商品又は役務であることを認識することができない商標	元号「令和」、地模様

- **公益に反するもの**

  公益に反する商標は、社会的に不都合が大きいため、商標登録されません。

● 公益に反して拒絶される商標の例 ●

商標	例
公共の機関の標章と紛らわしいもの	
公の秩序、善良の風俗を害するおそれがある商標	差別的なもの、国際信義に反するもの
商品の品質又は役務の質の誤認を生ずるおそれがある商標	商品「野菜」全般に「○○ポテト」 ※商品「じゃがいも」のみなら可

- **他人の登録商標または周知・著名商標等と紛らわしいもの**

  他人の登録商標または周知・著名商標等と紛らわしい商標は、取引秩序を乱す可能性があるため、商標登録されません。

● 他人の商標と紛らわしく拒絶される商標の例 ●

商標	例
他人の肖像・氏名・名称または著名な略称を含むもの	「木村拓哉」
他人の周知商標と同一または類似の商標であって、同一または類似の商品または役務に使用するもの	他人の未登録の有名商標とそっくりな商標を類似する商品について出願する場合
他人の登録商標と同一または類似の商標であって、同一または類似の指定商品又は役務に使用するもの	他人の先願商標とそっくりな商標を類似する商品について出願する場合
他人の業務に係る商品又は役務と混同を生ずるおそれのあるもの	他人の著名商標を非類似の商品について出願する場合
他人の周知商標と同一または類似で不正の目的をもって使用する商標	外国で周知な他人の商標を我が国で登録されていないことを幸いに無断で出願をする場合

④ 意見書・補正書提出

拒絶理由通知に対し、権利化を目指す出願人は意見書や手続補正書を提出して拒絶理由の克服を試みます。

⑤ 登録査定・登録料納付・設定登録・登録証発行

拒絶理由を発見しない場合、審査官は登録査定をし（出願人に通知した拒絶理由が解消しない場合は、拒絶査定をします）、出願人が、登録査定を受け取った日から30日以内に、10年分の登録料を一括でまたは分割で納付すると、設定登録されて商標権が成立します。設定登録後、商標権者には登録証が送られ、商標権の内容は商標公報によって公示されます。

商標権の存続期間は、設定登録日から10年ですが、10年ごとに更新することによって永続的に権利を維持することができます。

● 商標登録出願のポイント

商標権の権利範囲（効力）は、商標と指定商品・指定役務により定まる一方（**44**項を参照）、一旦出願すると、商標を変更したり、指定商品・指定役務を変更したり拡張したりすることができない（減縮は可能）ので、出願時の願書において商標と指定商品・指定役務をどのように特定して記載するのかが、商標登録出願では肝要です。

また、出願する商標を使用し続けるのであれば、その商標が先に登録された商標に類似するとして拒絶されると、単に商標権を取得することができないばかりでなく、その商標の使用により先登録商標の商標権を侵害するリスクがあります。侵害が発覚して商標を変更するとなると、それまでの商標の使用により築いた信用を手放すことになりかねないので、類似する先登録商標の有無を出願前に調査することも重要です。

46

商標権侵害の判断

商標の類否と、商品・役務の類否で判断する

● 商標権の侵害とは

　商標権は専用権と禁止権からなり（44項を参照）、商標権者以外の第三者が指定商品又は指定役務に登録商標を使用すると（専用権の範囲で商標を使用すると）、商標権の侵害になります（**直接侵害**）。

　また、商標権者以外の第三者が、指定商品又は役務に登録商標に類似する商標の使用をすると、あるいは、指定商品又は指定役務に類似する商品又は役務に登録商標又はこれに類似する商標の使用をすると（禁止権の範囲で商標を使用すると）、商標権の侵害とみなされます（**間接侵害**）。

　ここで、商標の「使用」とは、以下のような行為をいいます。

①　商品又は商品の包装に商標を付する行為

②　商品又は商品の包装に商標を付したものを譲渡し、引き渡し、譲渡若しくは引渡しのために展示し、輸出し、輸入し、または電気通信回線を通じて提供する行為

③　役務の提供に当たりその提供を受ける者の利用に供する物に商標を付する行為

④　役務の提供に当たりその提供を受ける者の利用に供する物に商標を付したものを用いて役務を提供する行為

⑤　役務の提供の用に供する物に商標を付したものを役務の提供のために展示する行為

⑥　役務の提供に当たりその提供を受ける者の当該役務の提供に係る物に商標を付する行為

⑦　電磁的方法により行う映像面を介した役務の提供に当たりその映

像面に商標を表示して役務を提供する行為

⑧　商品若しくは役務に関する広告、価格表若しくは取引書類に標章を付して展示し、若しくは頒布し、またはこれらを内容とする情報に商標を付して電磁的方法により提供する行為

⑨　音の商標について、商品の譲渡若しくは引渡し又は役務の提供のために音の標章を発する行為

ただし、形式的にはこれらの使用に該当しても、それが商標の自他商品識別機能、出所表示機能を発揮させる態様での使用（**商標的使用**）といえなければ商標権の効力が及ばず、商標権侵害にはなりません。

● 商標権の効力 ●

商標権の効力が及ぶ範囲		商品又は役務		
		指定商品・役務	類似	非類似
商標	登録商標	独占的に使用 他人の使用を排除	他人の使用を排除	×
	類似	他人の使用を排除	他人の使用を排除	×
	非類似	×	×	×

● 商標の類否判断

ある商標と別の商標が類似するかどうかは、商標の有する外観（見た目）、称呼（発音）及び観念（意味合い）のそれぞれの要素を総合的に考察し、商標が使用される商品又は役務の主たる需要者層その他商品又は役務の取引の実情を考慮して、需要者の通常有する注意力を基準として判断します。このような類似するかどうかの判断を類否判断といい、両商標が外観、称呼及び観念のいずれかの要素において紛らわしければ、類似と判断されやすいといえます。

たとえば、称呼が共通する商標は類似と判断されることが多いのですが（欧文字「ＳＯＮＹ」と片仮名「ソニー」は、称呼が共通するので類似）、称呼が共通しても外観や観念が顕著に異なれば、非類似と判断されます（「一騎」と「IKKI」は、称呼（イッキ）が共通しても外観と観念が顕著に異なるから非類似）。また、2語以上が結合してなる結合商標の場合、構成部分の一部だけが共通であっても、共通部分が要部（商標の特徴部分）であれば、類似と判断されます（「スーパーライオン」と「ライオン」は、「ライオン」が要部であるから類似）。

● 商品又は役務の類否判断

　ある商品又は役務と別の商品又は役務が類似するかどうかは、同一営業主の商品又は役務と誤認されるおそれがあるかどうかにより判断します。たとえば、商品については、生産部門、販売部門、原材料及び品質、用途、需要者の範囲が一致するかどうかを総合的に考慮し（商品「衛生マスク」と商品「包帯」は、生産部門や販売部門、需要者が共通することが多いから類似）、商品と役務が類似することもあります（商品「ソフトウェア」と役務「ソフトウェアの提供」は類似）。

● 抗弁

　第三者の行為が、商標及び商品・役務がともに同一または類似の範囲にあって直接侵害または間接侵害に該当しても、その第三者が抗弁事由（商標権者の権利主張を排斥する事実）を有するときには、商標権侵害は成立しません。抗弁事由としては、第三者が専用使用権または通常使用権を有すること、第三者の行為が商標権の効力が及ばない範囲での使用であること、商標登録に無効理由があること、真正品の並行輸入であることなどがあり、商標登録に取消理由がある場合には、商標登録の取消しにより商標権が消滅することが見込まれるため、差止めがむずかしいことがあります。

47 商標権侵害に対する 商標権者・被疑侵害者の対応

商標の類否が争点になることが多く、対応方法も多様

● 商標権者・被疑侵害者の侵害対応の流れ

一般に、第三者に商標権を侵害されたと考える商標権者の対応は、次のような流れになります。

◉ 商標権が侵害されたおそれがあるときの対応 ◉

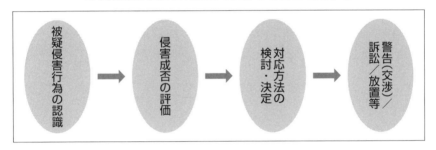

また、商標権を侵害した疑いがある被疑侵害者の対応は、次のような流れになります。

◉ 商標権を侵害したおそれがあるときの対応 ◉

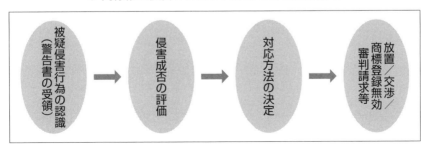

これらの流れ自体は、特許権侵害に対する特許権者の対応（23項を参照）及び特許権侵害に対する被疑侵害者の対応（24項を参照）でも説明したので、ここでは、商標権の特徴を踏まえて観点を変えて説明します。

● 侵害成否の評価

　商標権者における侵害成否の評価では、商標権が有効に存続していることに加え、登録商標を３年以内に日本国内で使用していること、つまり、商標登録が不使用取消審判により取り消されないことを確認する必要があります。もし商標権者が登録商標を使用しておらず、しかし商標権侵害を主張したいのであれば、侵害を追及する緊急性が高くないことが多いでしょうから、まず登録商標を使用し、その後に侵害を主張することも考えられます。

　一方、商標権者から差止めを求められた被疑侵害者にとっても、不使用取消審判で商標登録を取り消すことができれば商標権が消滅するので、商標権者により登録商標が使用されているのかどうかを確認する必要があります。

　商標権の侵害成否の評価において、商品又は役務の類否が問題になることは実務上少なく、商標の類否をどのように考えるのかが重要になります。その際、裁判例や特許庁の審決例などを参考にしますが、商標の類否はケースバイケースで、裁判例や審決例に類似事例があったとしても、その類似事例と同様の結論が直ちに導かれるわけではないので、商標権者としても、被疑侵害者としても、自らの主張を補強する類似事例の調査と、自身のケースに固有の事情による論理の整理が欠かせません。

　商標権侵害が主張される場合も、特許権侵害が主張される場合と同様に、商標登録に無効理由がある旨の反論が被疑侵害者から提起されることがあります。たとえば、「自己と他人の商品又は役務を識別できない」や「他人の登録商標等と紛らわしい」との無効理由については商標登録無効審判請求の除斥期間があり、設定登録日から５年を経過していると

審判請求することができません。したがって、商標権が5年以上存続しているのであれば、その事情は商標権者に有利に働きます。

● 警告

権利者にとって警告に費用面その他のメリットがあることは、特許権について説明したとおりですが（23項を参照）、警告は、被疑侵害者にとっても、いきなり訴訟を提起されるような負担がなく、警告に応じない自由もあるので、メリットがあります。

警告に際して、商標権者は、警告の文面が脅迫にあたる場合はそのことが不法行為となるため、客観性のある文章にすべく留意しなければなりません。また、商標権者が、登録商標またはそれに類似する商標が付された製品のメーカーではなく販売店等に警告し、後日、侵害が成立しないと判断されると、警告が不正競争防止法が規定する不正競争行為（虚偽の事実の告知・流布）であったとして法的責任を負う可能性がありますので、注意が必要です。

● 訴訟その他の対応方法

商標権侵害訴訟を提起する場合、特許権や実用新案権の侵害訴訟と異なり、東京地方裁判所（東京地裁）と大阪地方裁判所（大阪地裁）の専属管轄ではないので、それら以外の裁判所に提訴することができます。もっとも、商標権者が知的財産権専門部の判断を仰ぎたい場合には、東京地裁または大阪地裁に提訴することになります（10項を参照）。

商標権者は、訴訟ではなく、裁判外紛争解決手段（ADR）を選択することもでき、裁判外紛争解決手段としては、たとえば、東京地裁及び大阪地裁が提供する知財調停（25項を参照）や、日本弁理士会と日本弁護士連合会が共同で運営する日本知的財産仲裁センターにおける調停や仲裁があります。商標権者が東京地裁または大阪地裁の知財調停を利用しようとする場合、事前に被疑侵害者に調停の管轄合意を求めますが、

合意を求められた被疑侵害者は、合意を拒否すると訴訟を提起されて紛争が長期化する可能性があるため、安易に拒否しないほうが望ましいと思われます。

　また、商標権者及び被疑侵害者は、被疑侵害者の商標が商標権の効力範囲に属するか否かについて、特許庁に法的拘束力のない鑑定的意見である判定を求め、その判定結果により紛争解決を図ることも可能です。

◉ 判定の手順 ◉

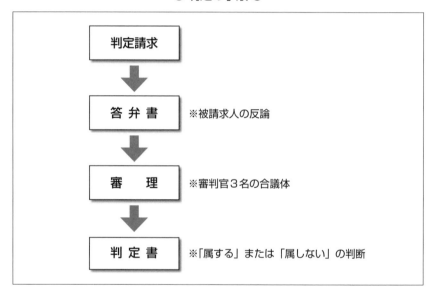

被疑侵害品が輸入品の場合、商標権者は、税関に対して輸入差止めを申し立てることもでき、最寄りの税関で手続をすれば、日本全国の税関で被疑侵害品の流入が止められます。特許権侵害は税関における成否の判断が困難で、この水際措置があまり利用されませんが、商標権侵害については多く利用されています。

　被疑侵害品がインターネットのＥＣショップで取り扱われている場合には、商標権者によるそのＥＣショップの通報手続によって、被疑侵害

品が掲載されているページへのアクセスがブロックされることがあります。

　さらに、特許法違反の刑事事件はきわめて少ないですが、商標法違反の刑事事件はよく報道されているように、商標権者は、警察に被害届等を提出し、被疑侵害者に刑事罰を求めることもできます。

48 外国における商標権取得の手続

マドプロ出願を行えば複数の国に一度で出願できる

● 出願・権利化は原則として国単位

　日本の特許庁の審査を経て成立した商標権は、日本国内にのみ効力が及びます。ある国の商標権の効力が他の国に及ばないとする考え方を**属地主義**といい、外国で商標権の保護を受けるためには、原則としてその国で出願する必要があります。

　商標についても、第一国の出願日から6か月以内であれば、パリ条約に基づく優先権（26項を参照）を主張して他の加盟国に出願し、第一国の出願日を基準に審査を受けることもできますが、商標は、特許や意匠と異なり、新規性が権利取得の要件にならないので、優先権制度の利用の必然性が特許や意匠ほど高くない場合が多いといえます。

　外国で出願する場合、国によって商標制度の詳細が異なることに注意が必要で、また、ほとんどの国において、その国の弁理士などの代理人を選任して手続をすることが求められます。そのため、外国で出願する場合は、日本の弁理士等を通じてまたは自ら探して、外国代理人を選任することになります。

● マドリッド協定議定書による出願

　外国での商標権の取得手続は、国ごとに言語や制度が異なり、出願人にとっては大きな負担です。このような国ごとの出願手続の労力を軽減する国際条約も存在しており、商標については、標章の国際登録に関するマドリッド協定の議定書（「マドリッド協定議定書」「マドリッド・プロトコル」「マドプロ」と呼ばれます）という商標の国際登録制度を定

めた条約があります。

　マドリッド協定議定書の国際登録制度によれば、日本の特許庁を通じて世界知的所有権機関（WIPO）の国際事務局に国際登録出願（マドプロ出願）をすることで、複数の国に一度で出願することができます。マドプロ出願を行うと、国際事務局で国際登録され、次いで国際公表され、各指定国に移行して審査され、各国で登録の可否が決まり、保護の認容によりその国で商標の保護が始まります。また、権利の存続期間の更新も、10年ごとに、国際登録の全指定国について国際事務局でまとめて手続すればよいので、費用や管理の面で大きなメリットがあります。

　ただし、マドプロ出願をするには、日本に基礎となる商標登録出願または商標登録が存在することが必要であり、その基礎出願または基礎登録と同じ商標を基礎出願または基礎登録の指定商品・指定役務の範囲内で出願する必要があります。また、国際登録日から5年間は国内の基礎出願または基礎登録に従属するため、基礎出願の拒絶や基礎登録の無効が確定すると国際登録が取り消されるリスクがあります（セントラルアタック）。

◉ マドプロルート ◉

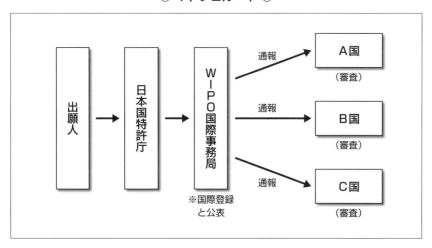

● 主要国に直接出願するとき

　ここでは、マドプロ出願ではなく各国に直接出願したときの日本との制度の違いを主要国について説明します。日本を含む多くの国では、**登録主義**（登録によって商標権が発生するという考え方）を採用していますが、アメリカのように使用主義（使用により使用地域で商標権が発生し、登録により権利が補強されるという考え方）を採用する国もあります。

① アメリカ

　アメリカは使用主義を採用しており、商標の使用開始時から使用地域における商標権が発生し、連邦で登録されることによって全米での商標権が推定されます。ただし、未使用商標についての商標権は、相手方から未使用の反証があると権利行使することができません。また、登録許可時、登録から5～6年目、及び、10年ごとの更新時にも、商標を使用していることを証明する必要があります。

　連邦登録のための出願の出願書類には、出願の基礎（「使用に基づく」や「使用意図に基づく」など）を選択する必要があり、また、使用主義との関係で、包括的な指定商品・指定役務を記載することができず、具体的な商品・役務を記載する必要があります。

② 欧州連合（EU）

　欧州連合（EU）には、欧州連合商標制度があり、欧州連合知的財産庁（EUIPO）に欧州連合商標出願をして欧州連合商標登録されると、EU加盟27か国の全域で効力を有する商標権を取得することができます。イギリスは既にEU加盟国ではないので、別途出願する必要があります。

　欧州連合商標制度では、識別力などの商標に内在する絶対的拒絶

理由は審査されますが、他の商標との関係などの相対的拒絶理由は審査されません。ただし、登録前に第三者が異議申立てをする機会があり、申立てがあれば相対的拒絶理由も審査され、その後に登録されます。

　欧州連合商標登録は、登録商標の５年間の不使用で不使用取消審判の対象になりますが、EU域内の１か国においてでも使用していれば原則的に取り消されません。

③　中国

　中国で出願する場合には、原則的に「類似商品・服務区分表」に掲載されている商品・役務を指定します（日本の特許庁にも「類似商品・役務審査基準」がありますが、商品・役務の指定はそこに掲載されているものに限られません）。また、中国では、小売役務は一部を除いて指定することができません。

　中国では、審査官が認める場合を除き、拒絶通知に意見書で反論することはできず、商標評審委員会へ覆審（日本の拒絶査定不服審判に相当するもの）を請求して反論する必要があります。覆審請求可能な期間は、原則として拒絶通知から15日ときわめて短く、注意が必要です。なお、拒絶には一部拒絶と全部拒絶があり、指定商品の一部に対して拒絶が通知された場合は、これに対応しなくても残りの商品は登録されます。

　中国は年間の商標出願件数が900万以上（2020年統計）と膨大で、先願商標の存在を理由に拒絶されるケースが多くあります。

第2節　不正競争防止法に基づく権利

49 不正競争防止法の概要

損害賠償請求権と差止請求権で営業を保護し、秩序を保つ

● 不正競争防止法とは

不正競争防止法は、不正競争の防止により、事業者の営業上の利益の保護を図るとともに、これを通じて事業者間の公正な競争の確保を図る法律です。

他の法律との関係についてみると、不正競争防止法は、民法との関係では、不法行為法の特別法になります。民法は、「故意又は過失によって他人の権利又は法律上保護される利益を侵害した者は、これによって生じた損害を賠償する責任を負う。」と規定し、不法行為に対する損害賠償請求を認めていますが、差止請求は認めていません。しかし、競争関係にある事業者間の不法行為については、事後的な損害賠償請求のみでは救済として不十分であることから、不正競争防止法は、損害賠償請求権に加えて差止請求権を明文で認めています。

また、不正競争防止法は、特許法、意匠法、商標法等の知的財産法とは協働関係にあり、不正競争防止法による周知表示混同惹起行為や著名表示冒用行為（50項を参照）の規制は、商標法とともに営業上の信用を保護し、不正競争防止法による営業秘密の保護は、特許法、意匠法等とともに創作を保護します。

さらに、不正競争防止法は、独占禁止法（私的独占の禁止及び公正取引の確保に関する法律。52項を参照）とともに、競争秩序の維持を図る法律でもあります。

◉ 不正競争防止法と商標法のちがい ◉

		不正競争防止法	商標法
保護対象		**「商品等表示」** 人の業務に係る氏名、商号、**商標、標章**、商品の容器若しくは包装その他の**商品または営業を表示するもの**	**「商標」** 人の知覚によって認識することができるもののうち、標章（文字、図形、記号、立体的形状若しくは色彩またはこれらの結合、音その他政令で定めるもの）であって ①業として商品を生産等する者がその商品について使用するもの ②業として役務を提供等する者がその役務について使用するもの
保護方法		他人の商品等表示を使用等する行為を「不正競争」として禁止 **（登録は不要）**	「商標権」の付与により保護 （特許庁による審査・**登録が必要**）
保護範囲	表示	同一または類似の範囲について他者の使用を禁止できる	
	商品/役務	─	指定商品・役務と同一または類似の範囲

● 「不正競争」の概要

　不正競争防止法が防止する「不正競争」は、次のとおり類型化され、不正競争防止法は、これらの不正競争に対する保護を規定しています。

◉ 「不正競争」に該当する行為 ◉

周知表示混同惹起行為	他人の商品・営業の表示（商品等表示）として需要者の間に広く認識されているもの（周知なもの）と同一・類似の表示を使用し、他人の商品・営業と混同を生じさせる行為
著名表示冒用行為	他人の商品・営業の表示（商品等表示）として著名なものを自己の商品・営業の表示として使用する行為
形態模倣商品の提供行為	他人の商品の形態を模倣した商品（日本国内で最初に販売された日から３年を経過していない商品）を譲渡等する行為
営業秘密の侵害	窃取等の不正手段により営業秘密（秘密として管理されている生産方法、販売方法その他の事業活動に有用な技術上または営業上の情報であって、公然と知られていないもの）を取得・使用・開示する行為等

限定提供データの侵害	窃取等の不正手段により限定提供データ（業として特定の者に提供する情報として電磁的方法により相当量蓄積され、及び管理されている技術上または営業上の情報（秘密として管理されているものを除く）を取得・使用・開示する行為等
技術的制限手段無効化装置等提供行為	技術的制限手段により視聴等が制限されているコンテンツ等の視聴等を可能にする一定の装置、プログラム、指令符号や役務を提供する行為
ドメイン名の不正取得等の行為	図利加害目的で他人の商品・営業の表示（特定商品等表示）と同一・類似のドメイン名を使用する権利を取得・保有し、またはそのドメイン名を使用する行為
誤認惹起行為	商品・役務や広告等に、その原産地、品質、内容等について誤認させるような表示をし、またはその表示をした商品・役務を譲渡・提供等する行為
信用毀損行為	競争関係にある他人の営業上の信用を害する虚偽の事実を告知し、または流布する行為
代理人等の商標冒用行為	パリ条約の加盟国等において商標に関する権利を有する者の代理人が、正当な理由なく、その商標を使用等する行為

● 不正競争に対する保護

　不正競争防止法は、不正競争に対し、民事上、刑事上の救済（限定提供データ〈51項を参照〉の侵害行為に対しては、民事上の救済）を規定しており、民事上の救済については、差止請求や損害賠償請求、信用回復措置請求が認められます。

　また、訴訟時に有用な規定として、被告に営業秘密を使用されたと考える原告が、生産方法等の営業秘密（技術上の秘密）を被告により不正取得されたことと、被告がその営業秘密を使用して生産することができる物を生産していること等を立証した場合には、被告が営業秘密を使用したかどうかについて、被告に立証責任を転換する（被告が営業秘密の不使用を立証しなければならないとする）定めがあります。

50 不正競争防止法による産業財産権の補完

周知表示や著名表示の冒用、商品形態の模倣は違法

● 不正競争防止法による補完の必要性

　意匠権や商標権等の産業財産権は、特許庁における意匠登録や商標登録により発生するので、登録のための出願手続をすることなく事業を行っている企業には、意匠権も商標権もありません。もし、このような企業の商品について、意匠権や商標権がないからといって無制限に真似や模倣が許されるとなると、その企業にとっては投資にただ乗りされる事態が生じ、消費者にとっては誤認・混同の事態が生じます。

　そこで、不正競争防止法は、産業財産権がなくても不正と評価し得るような真似や模倣については、周知表示混同惹起行為、著名表示冒用行為及び形態模倣商品の提供行為として類型化し、これらの行為に対する保護を規定しています。

● 周知表示混同惹起行為

　不正競争防止法は、「他人の商品等表示として需要者の間に広く認識されているものと同一若しくは類似の商品等表示を使用し、又はその商品等表示を使用した商品を譲渡し、引き渡し、譲渡若しくは引渡しのために展示し、輸出し、輸入し、若しくは電気通信回線を通じて提供して、他人の商品又は営業と混同を生じさせる行為」（周知表示混同惹起行為）を「不正競争」として規定し、その〝他人〟（商品等表示の主体）の保護を図っています。

　たとえば、意匠権がない商品の形状について真似された〝他人〟が、この規定を使って保護を求めようとすると、その形状が「**商品等表示**」

に該当するかどうかが問題になります。商品の形態は、本来的には商品の出所を表示するものではないものの、①特定の商品の形態が同種の商品と識別し得る独自の特徴を有し、②それが長期間にわたり継続的にかつ独占的に使用され、または短期間であっても強力に宣伝されるなどして使用された結果、商品自体の機能や美観等の観点から選択されたという意味を超えて、自他識別機能または出所表示機能（43項を参照）を有するに至り、需要者の間で広く認識された場合には、商品等表示性が認められます。裁判例では、パソコンや時計、家庭用医療機器、実用的な幼児椅子のデザイン等の形態が商品等表示として認められたことがあります。

　また、「需要者の間に広く認識されている」ことは、「周知」ともよびますが、この周知性の判断は、商品・役務の性質・種類、取引態様、需要者層、宣伝活動、表示の内容等の諸般の事情から総合的に判断されます。「周知」は、全国的に知られている必要はなく、一地方において広く知られていれば足りると解されています。

　「類似」については、取引の実情のもとにおいて、取引者または需要者が両表示の外観、称呼または観念に基づく印象、記憶、連想等から両者を全体的に類似のものと受け取るおそれがあるか否かを基準に判断され、商品を同時に並べて注意深く比較したときに、差異点が発見される場合であっても、全体的な印象に顕著な差異がなく、時と場所を異にして観察するときには、その商品等表示により一般需要者が誤認混同するおそれが認められる場合には、類似性が認められます。

　「混同」は、現に生じていなくても、生ずるおそれがあれば足り、被冒用者と冒用者の間に、緊密な営業上の関係や同一の表示を利用した事業を営むグループに属する関係があると誤信させるような「広義の混同」も包含すると解されています。混同の判断は、表示の使用方法、態様等の諸般の事情をもとに、一般人を基準として判断されます。

● 著名表示冒用行為

　不正競争防止法は、「自己の商品等表示として他人の著名な商品等表示と同一若しくは類似のものを使用し、又はその商品等表示を使用した商品を譲渡し、引き渡し、譲渡若しくは引渡しのために展示し、輸出し、輸入し、若しくは電気通信回線を通じて提供する行為」（著名表示冒用行為）も「不正競争」として規定し、その〝他人〟の保護を図っています。この規定では、周知表示混同惹起行為と比べ、需要者の間に認識されている程度がより高いこと（著名性）を求められる代わりに、「混同」の要件がなくなっています。

　「著名」は、通常の経済活動において相当の注意を払うことにより、その表示の使用を避けることができる程度に、その表示が知られていることが必要で、全国的に知られているようなものが想定されています。また、商品の形態については、商品等表示として著名性を認めることが一般には困難であるとされています。著名な商品表示が認められた裁判例としては、セイロガン糖衣Ａ事件（大阪地判平成11年３月11日）、アリナビッグ事件（大阪地判平成11年９月16日）、ルイ・ヴィトン事件（東京地判平成30年３月26日）等があります。

● アリナビッグ事件 ●

真正品

類似品

写真はアリナビッグ事件判決より引用

形態模倣商品の提供行為

　不正競争防止法は、1993年（平成5年）改正の際に、周知表示混同惹起行為及び著名表示冒用行為に加えて「他人の商品の形態を模倣した商品を譲渡し、貸し渡し、譲渡若しくは貸渡しのために展示し、輸出し、又は輸入する行為」（形態模倣商品の提供行為）を「不正競争」として規定しました。

　「**模倣**」といえるためには、①他人の商品に依拠すること、②実質的に同一の形態の商品を作り出すことが要件となりますが、「実質的に同一の形態」であるかどうかは、同種の商品間における商品の形態を比較し、商品の形態全体から見て重要な意味を有する部分が実質的に同一であるかどうかによって判断されます。

　仏壇事件の判決（大阪地判平成10年8月27日）は、原告と被告の商品の形態について実質的同一性が認められた場合には、特段の反証がない限り依拠して模倣したことが認められるとしました。模倣が認められた裁判例としては、たまごっち事件（東京地判平成10年2月25日）、カットソー事件（知財高判平成17年12月5日）等があります。

◉ たまごっち事件 ◉

真正品

類似品

写真はたまごっち事件判決より引用

51 営業秘密・データの保護

侵害された場合、差止請求や損害賠償請求ができる

● 営業秘密の保護

　企業の研究・開発や営業活動の過程では、製造方法・ノウハウ、新規物質情報、設計図面等の技術情報、あるいは、顧客名簿、新規事業計画、価格情報、対応マニュアル等の営業情報が蓄積され、これらは「営業秘密」として不正競争防止法で保護されます。不正競争防止法は、「**営業秘密**」について、「秘密として管理されている生産方法、販売方法その他の事業活動に有用な技術上又は営業上の情報であって、公然と知られていないもの」と定義しており、「営業秘密」に該当するためには、以下の三つの要件を満たす必要があります。

① **秘密として管理されていること（秘密管理性）**

　この要件を満たすには、その情報に合法的かつ現実に接触することができる従業員等からみて、その情報が企業にとって秘密にしたい情報であることがわかる程度に、アクセス制限やマル秘表示等の秘密管理措置がなされていることが必要です。

② **有用な営業上または技術上の情報であること（有用性）**

　この要件は、脱税情報や有害物質の垂れ流し情報等の公序良俗に反する内容の情報を法律上の保護範囲から除外し、広い意味で商業的価値が認められる情報を保護することに主眼を置いたものです。情報は現実に使用・利用されていなくてもよく、失敗した実験データのようなネガティブインフォメーションにも有用性が認められる

ことがあります。

③　公然と知られていないこと（非公知性）
　　この要件は、情報が保有者の管理下以外では一般に入手できない
　ことを求めています。公知情報の組合せであっても、非公知性が認
　められることも考えられます。
　営業秘密について、不正手段による取得、使用、第三者への開示等は
不正競争行為となり、営業秘密の侵害者に対する差止請求や損害賠償請
求、信用回復措置請求が認められます。

● 営業秘密についての不正競争行為 ●

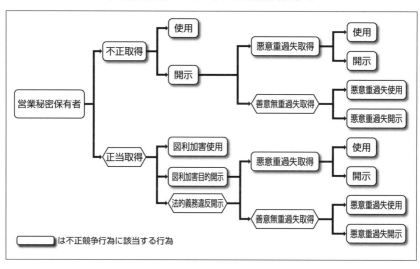

　また、営業秘密の侵害には、重い刑事罰（自然人であれば10年以下の
懲役や2000万円〈日本国外で使用する目的があった場合等には3000万円〉
以下の罰金、法人の代表者等の行為に対しては5億円〈日本国外で使用
する目的があった場合等には10億円〉以下の罰金）が科されます。

● データの保護

　IoTやAIの普及に伴い、ビッグデータ等のデータを利活用しやすい環境が望まれていますが、これまでは、データに価値があっても、特許法や著作権法の保護対象にならなかったり、他者との共有を前提とするため「営業秘密」に該当しなかったりして、データの不正な流通を防止することは困難でした。データは複製が容易で、いったん不正取得されると一気に拡散して投資回収の機会を失ってしまうおそれがあり、データを安心して提供するための法的措置の導入を求める声がありました。

　そこで、2018年（平成30年）改正の不正競争防止法は、商品として広く提供されるデータやコンソーシアム内で共有されるデータ等の事業者等が取引等を通じて第三者に提供するデータを念頭に「限定提供データ」という概念を導入し、その不正取得や不正使用等の悪質性の高い行為に対する民事措置（差止請求権、損害賠償額の推定等）を規定しました。

　「**限定提供データ**」は、「業として特定の者に提供する情報として電磁的方法により相当量蓄積され、及び管理されている技術上又は営業上の情報」と定義され、「営業秘密」とは異なる以下の三つの要件があります。

① **業として特定の者に提供すること（限定提供性）**
　「業として」とは、反復継続的に提供している場合（実際には提供していない場合であっても、反復継続的に提供する意思が認められる場合も含みます）をいい、「特定の者」とは、一定の条件の下でデータ提供を受ける者を指します（例：会員制のデータベースの会員）。

② **電磁的方法により相当量蓄積されていること（相当蓄積性）**
　社会通念上、電磁的方法により蓄積されることによって価値を有することが必要です。「相当量」は、個々のデータの性質に応じて

判断され、そのデータが電磁的方法により蓄積されることで生み出される付加価値、利活用の可能性、取引価格、収集・解析に当たって投じられた労力・時間・費用等が勘案されます（例：自動車の走行履歴に基づいて作られるデータベースについて、実際は分割提供していない場合であっても、電磁的方法により蓄積されることによって価値が生じている部分のデータ）。

③ 電磁的方法により管理されていること（電磁的管理性）

特定の者に対してのみ提供するものとして管理する保有者の意思が、外部に対して明確化されていることが必要です。具体的には、ID・パスワードの設定等のアクセスを制限する技術が施されていることなどが必要です。

◉ 限定提供データにかかる不正競争 ◉

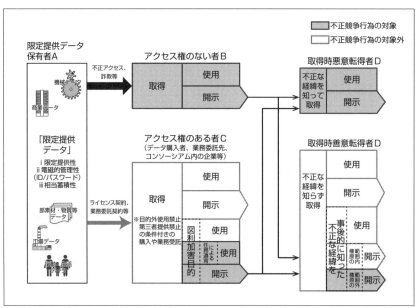

出典：経済産業省「限定提供データに関する指針」
（https://www.meti.go.jp/policy/economy/chizai/chiteki/guideline/h31pd.pdf）より著者作成

なお、不正競争防止法の適用に際し、ある情報が限定提供データと営業秘密に重複して該当することを避けるため、秘密として管理されている情報（営業秘密に該当し得る情報）は限定提供データから除かれます。

　限定提供データについて、不正手段による取得、使用、第三者への開示等は不正競争行為となり、その侵害者に対する差止請求や損害賠償請求、信用回復措置請求が認められます。

　ただし、政府提供の統計データのような相手を特定・限定せずに無償で広く提供されているデータは、誰でも使うことができるもので、このようなデータと同一の限定提供データに関する行為は差止請求等の適用が除外されています。

　また、限定提供データの不正取得・使用・開示行為等の不正競争は、まだ事例の蓄積も少ない中で事業者に対して過度の萎縮効果を生じさせないように、刑事罰の対象とはなっていません。

第5章

知的財産関連の規制

独占禁止法

知的財産権の逸脱した行使は制限されている

知的財産権と独占禁止法の関係

　知的財産権が発明等について権利者の私的独占を法的に保証するものであるのに対し、私的独占を禁止する法律として独占禁止法（私的独占の禁止及び公正取引の確保に関する法律）があります。権利者の競業者に対する参入障壁の構築に資する知的財産権は、市場における競争を制限・阻害する独占を規制する独占禁止法と相矛盾するようにもみえます。

　ここでは、そのような独占禁止法の全体像を概観するとともに、知的財産権とどのような調整が図られているのかについて説明します。

独占禁止法の概要

　独占禁止法は、「私的独占、不当な取引制限及び不公正な取引方法を禁止し、事業支配力の過度の集中を防止して、結合、協定等の方法による生産、販売、価格、技術等の不当な制限その他一切の事業活動の不当な拘束を排除することにより、公正且つ自由な競争を促進し、事業者の創意を発揮させ、事業活動を盛んにし、雇傭及び国民実所得の水準を高め、以て、一般消費者の利益を確保するとともに、国民経済の民主的で健全な発達を促進すること」を目的として掲げています。この法目的に独占禁止法の全容が凝縮されています[1]。

　独占禁止法は、本来は自由な経済活動を政策的観点から規制するもので、規制される行為は、次のとおりです。

---

1) なお、独占禁止法を補完する法律として、下請法（下請代金支払遅延等防止法）、景品表示法（不当景品類及び不当表示防止法）があります。

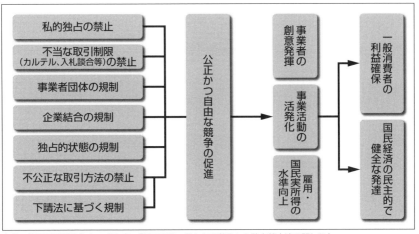

● 独占禁止法の役割 ●

私的独占の禁止
不当な取引制限（カルテル、入札談合等）の禁止
事業者団体の規制
企業結合の規制
独占的状態の規制
不公正な取引方法の禁止
下請法に基づく規制

公正かつ自由な競争の促進

事業者の創意発揮
事業活動の活発化
雇用・国民実所得の水準向上

一般消費者の利益確保
国民経済の民主的で健全な発達

出典：公正取引委員会ウェブサイト「絵で見る　私たちの暮らしと独占禁止法の関わり」
　　　（https://www.jftc.go.jp/ippan/part2/outline.html）より著者作成

① 　私的独占

　　私的独占には、事業者が不当な低価格販売等の手段により競争相手を市場から排除したり、新規参入者を妨害したりして市場を独占しようとする「排除型私的独占」と、株式取得等により他の事業者の事業活動に制約を与えて市場を支配しようとする「支配型私的独占」があります。

② 　不当な取引制限

　　不当な取引制限には、各事業者が自主的に決めるべき商品の価格や販売・生産数量等について、事業者または業界団体の構成事業者が共同で取り決める「カルテル」と、国や地方公共団体等の公共工事や公共調達に関する入札に際し、事前に受注事業者や受注金額等を決める「入札談合」があります。

③ 　事業者団体の規制

　　独占禁止法は、事業者団体（事業者としての共通の利益を増進することを主たる目的とする2以上の事業者の結合体またはその連合

体）の活動も規制し、事業者団体による競争の実質的な制限、事業者の数の制限、会員事業者・組合員等の機能または活動の不当な制限、事業者に不公正な取引方法をさせる行為等を禁止しています。

④　合併や株式取得等の企業結合規制

　　合併や株式取得等の企業結合で生まれる企業グループが、ある程度自由に市場における価格、供給数量等を左右することができるようになって競争が実質的に制限される場合には、そのような企業結合は禁止されます。企業結合のうち一定の要件に該当するものについては、事前届出が義務付けられています。

⑤　独占的状態の規制

　　独占禁止法は、カルテルや企業結合等の競争に影響を及ぼす行為を規制していますが、競争の結果、ある事業者が50％超のシェアを持ち、需要やコストが減少しても価格が下がらない等の市場への弊害が認められる場合には、競争を回復するための措置として、その事業者の営業の一部について譲渡が命じられることがあります。

⑥　不公正な取引方法に関する規制

　　独占禁止法は、「事業者は、不公正な取引方法を用いてはならない」と定め、公正取引委員会は、告示によって不公正な取引方法を指定しています。このうち、すべての業種に適用される「一般指定」では、取引拒絶、差別取扱い、不当廉売、不当高価購入、抱き合わせ販売、排他条件付取引、拘束条件付取引、競争者に対する取引妨害等の行為類型が、不公正な取引方法として指定されています。

　独占禁止法に違反すると、公正取引委員会から排除措置命令が出されたり、課徴金が課されたり、無過失損害賠償責任を負わされたり、役員に対して罰則が科されたりします。

● 独占禁止法と知的財産権の調整

前述のように、知的財産権は独占禁止法と相矛盾するようにもみえますが、独占禁止法が「この法律の規定は、著作権法、特許法、実用新案法、意匠法又は商標法による権利の行使と認められる行為にはこれを適用しない」と規定する一方、知的財産基本法が「知的財産の保護及び活用に関する施策を推進するに当たっては、その公正な利用及び公共の利益の確保に留意するとともに、公正かつ自由な競争の促進が図られるよう配慮するものとする」と規定し、独占禁止法と知的財産権の調整が図られています。たとえば、特許権者が他者による特許技術の利用を制限する行為は、外形上、権利の行使とみられますが、その行為の目的や態様、競争に与える影響の大きさ等を勘案すると、知財制度の趣旨・目的に反すると認められるような場合は、実質的に権利の行使とは評価されず、独占禁止法が適用されます。

公正取引委員会は、どのような行為が独占禁止法違反になるかを示すガイドラインを多数公表しており、その中に、「知的財産の利用に関する独占禁止法上の指針」や「標準化に伴うパテントプールの形成等に関する独占禁止法上の考え方」があります。「知的財産の利用に関する独占禁止法上の指針」は、知的財産のうち技術に関するものを対象としており、ライセンサーがライセンシーに対してライセンス技術を用いた製品に関して販売価格または再販売価格を制限する行為、ライセンサーがライセンシーに対してライセンス技術またはその競争技術に関してライセンシーの自由な研究開発活動を制限する行為、ライセンサーがライセンシーに対してライセンシーが開発した改良技術についてライセンサーまたはライセンサーの指定する事業者にその権利を帰属させる義務またはライセンサーに独占的ライセンスをする義務を課す行為は、原則として不公正な取引方法に該当するとしています。

53 輸出管理

外為法の他、リスト規制、キャッチオール規制に留意する

● 輸出管理の意義

　武器や軍事転用可能な貨物や技術が国際的な平和、安全を脅かす国家やテロリスト等に渡ることがないように、先進国を中心とした国際的な枠組み（国際輸出管理レジーム）が作られており、各国は、協調して輸出等の管理を行うための輸出管理制度（安全保障貿易管理制度）を設けています。

　すなわち、A国で開発した製品をB国に輸出する場合、それがA国の特許権のみならずB国の特許権に抵触しないか留意する必要がありますが、併せて、その製品の輸出がA国の輸出管理上問題がないか留意する必要があり、輸出管理制度は、外国への技術移転に関する規制という点で、知財制度と共通します。

● 日本の輸出管理

　日本では、外為法（外国為替及び外国貿易法）が輸出管理の基本的な枠組みを規定し、具体的な規制は政令、省令、通達で定められています。主な規制としては、リスト規制とキャッチオール規制があり、**リスト規制**は、輸出しようとする貨物が輸出貿易管理令で指定されたものに該当する場合と、提供しようとする技術が外国為替令で指定されたものに該当する場合に、経済産業大臣の許可が必要になる制度です。リスト規制の規制対象は、国際輸出管理レジームの規制対象品目リストに基づいています。

　また、**キャッチオール規制**は、リスト規制に該当しない貨物や技術で

あっても、大量破壊兵器等や通常兵器の開発等に用いられるおそれがある場合には、経済産業大臣の許可が必要になる制度です。

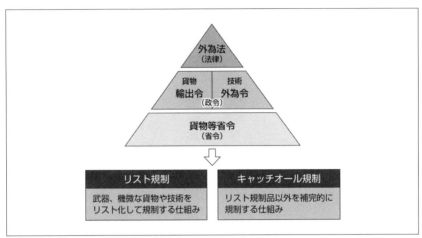

● 外為法による安全管理規制 ●

出典：経済産業省「安全保障貿易管理ガイダンス［入門編］」
（https://www.meti.go.jp/policy/anpo/guidance/guidance.pdf）より

　これらの規制の違反に対しては、懲役刑や罰金刑の刑事罰のほか、貨物の輸出・技術の提供や別会社の役員への就任等を禁じる行政制裁、経済産業省のウェブサイトにおける違反者情報の公表があります。たとえば、海外のエンジニアと共同開発を行う場合に、クラウドサービスを利用して規制技術を海外のエンジニアがアクセスできるサーバ上に保存する際にも、経済産業大臣の許可が必要になる場合があるので注意が必要です。

　貨物・技術がリスト規制に該当するか否かを判定することを**該非判定**といい、この該非判定の後に**取引審査**（貨物・技術の用途と需要者等について確認し、取引を行うか否かを判断すること）、**出荷管理**（実際に出荷される貨物・技術と出荷伝票等で特定される貨物・技術との同一性や許可証の有無を確認すること）を経て、貨物の輸出・技術の提供が可

能になります。

◉ 輸出手続の流れ ◉

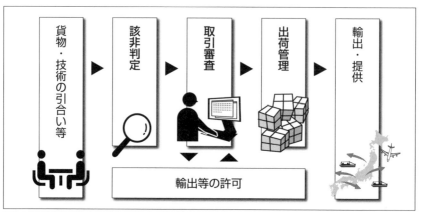

貨物・技術の引合い等 ▶ 該非判定 ▶ 取引審査 ▶ 出荷管理 ▶ 輸出・提供

輸出等の許可

出典：経済産業省「安全保障貿易管理ガイダンス［入門編］」
（https://www.meti.go.jp/policy/anpo/guidance/guidance.pdf）より

● アメリカの輸出管理

　アメリカでは、商務省産業安全保障局（BIS）が管轄するアメリカ輸出管理規則（Export Administration Regulations：EAR）が、軍事用としても非軍事用としても利用可能な「デュアルユース品目」と呼ばれる商用製品と機微度の低い武器品目の輸出に適用されます。

　EARは、アメリカからの輸出のみならず再輸出にも適用され、アメリカから輸出されたアメリカ原産の貨物や技術が日本に輸入されて日本から再び輸出される場合、輸出を行う日本企業は、日本の外為法とともにアメリカ法も確認し、アメリカ法の規制に該当すれば、アメリカ政府の許可を受けなければなりません。たとえば、日本企業がアメリカの研究所で試作した製品を日本に輸入し、他国に輸出するような場合には、アメリカ法の域外適用にも留意する必要があります。

　なお、EAR の上位法である1979年輸出管理法は、長年失効していましたが、2018年、国防授権法に含まれた2018年輸出管理改革法（Export

Control Reform Act：ECRA）がEAR の上位法として新たに制定され、輸出管理が強化されることになりました。

◉ アメリカからの再輸出にも規制あり ◉

また、BIS以外の省庁も輸出管理を行っており、武器品目は国務省防衛取引管理局（DDTC）、制裁措置関連国への輸出は財務省海外資産管理局（OFAC）、核物質・核関連設備は原子力規制委員会（NRC）、核関連技術及び原子力・核関連特殊物質に関する技術データはエネルギー省国家核安全保障局（NNSA）、天然ガス・電力はエネルギー省化石エネルギー局（DOE）、医療機器・医薬品は食品医薬品局（FDA）の管轄とされています。

● 中国の輸出管理

中国では、2020年に輸出管理法が公布・施行されました。それまで、中国は、対外貿易法、税関法、刑法等の法律及び行政法令の中で既に輸出管制について規定していましたが、輸出管理法の公布・施行に及んだのは、中国企業に対するアメリカ政府からの圧力に対抗するねらいがあるといわれています。

中国の輸出管理法は、条項からも当局の発言からも曖昧なところがありますが、この輸出管理法に基づいて再輸出規制やみなし輸出規制、輸出先の現地立入調査等が実際に行われるとなると、中国との取引の前提が崩れるとの懸念が示されています。

また、日本企業の間では、電気自動車や家電等の生産に欠かせないレアアースが輸出規制の対象になるかどうかが関心事となっています。

索引

な行

は行

●主な参考文献

・高田忠『意匠』、有斐閣、2000年（オンデマンド版）
・茶園成樹『意匠法（第2版）』、有斐閣、2020年
・特許庁 編『工業所有権法（産業財産権法）逐条解説（第21版）』、発明推進協会、2020年
・日本弁理士会『弁理士による知的財産価値評価のための手引き』、日本弁理士会知的財産価値評価推進センター、2010年
・藤川義人『よくわかる知的財産権』、日本実業出版社、2001年
・峯唯夫『ゼミナール意匠法 第2版』、法学書院、2009年
・吉藤幸朔 著 熊谷健一 補訂『特許法概説 第13版』、有斐閣、2002年

・経済産業省「安全保障貿易管理ガイダンス［入門編］」、2021年
・経済産業省「限定提供データに関する指針」、2019年
・公正取引委員会「知的財産の利用に関する独占禁止法上の指針」、2007年
・世界知的所有権機関「World Intellectual Property Indicators 2021」
・特許庁「意匠審査基準」
・特許庁「商標審査基準」
・特許庁「特許・実用新案審査基準」
・特許庁「特許庁ステータスレポート2021」
・特許庁「平成29年度 特許庁産業財産権制度問題調査研究報告書 知的財産デュー・デリジェンスの実態に関する調査研究報告書」
・文化庁「著作権テキスト（令和3年度）」

・特許庁ウェブサイト
・知的財産高等裁判所ウェブサイト
・文化庁ウェブサイト

著者一覧

清水 善廣（しみず よしひろ）
弁理士（特定侵害訴訟代理業務付記）。ジーベック国際特許事務所会長。東京理科大学理学部化学科卒業。ジーベック国際特許事務所の設立以来、ベンチャー企業、スタートアップ企業、中小企業の支援に深く関与し、日本弁理士会の役員等として知的財産制度、弁理士制度の改革にも関与。日本弁理士会会長（令和元年度・2年度）、内閣府知的財産戦略本部員（令和元年度・2年度）。

西村 公芳（にしむら きみよし）
弁護士・弁理士。ジーベック国際特許事務所所長、松田綜合法律事務所パートナー。早稲田大学理工学部機械工学科卒業、早稲田大学大学院理工学研究科機械工学専攻修了、同大学院法務研究科法務専攻修了。ジーベック国際特許事務所では、主に機械分野の特許出願、紛争解決、コンサルティングに従事し、松田綜合法律事務所では、知財部門の担当パートナーとして、主に他部門と連携しながら知財関連案件に従事。

野田 薫央（のだ くにひさ）
弁理士（特定侵害訴訟代理業務付記）。法政大学法学部法律学科卒業。ジーベック国際特許事務所及び松田綜合法律事務所において、主に商標・意匠・著作権・不正競争防止法・農業関連知財等を担当。特許事務所と法律事務所の両方の立場から、中小企業を含む多くの企業の出願や問題の解決に尽力。日本弁理士会 弁理士実務修習講師（意匠）（平成23年度〜現在）、日本弁理士会 著作権委員会 委員長（平成25年度）、INPIT知財総合支援窓口 知財専門家（平成27年度〜現在）。主な著作は、「アニメの著作権」（「月刊パテント」2008年8月号〈共著〉）、「Q and A DESIGN」（「月刊発明」2009年6月号〜現在〈共著〉）、『見ればわかる！　外国商標出願入門 改訂版〜主要国での商標出願と国際登録出願の実務〜』（発明推進協会 2014年〈編著〉）、『農業法務のすべて』（民事法研究会 2021年〈共著〉）など。

小松 悠有子（こまつ ゆうこ）
弁理士（特定侵害訴訟代理業務付記）。防衛大学校理工学専攻航空宇宙工学科卒業。ジーベック国際特許事務所において、主に特許（機械・電気・IT）・意匠分野の権利化業務、紛争解決業務に従事。2012年より新潟県の公益財団法人燕三条地場産業振興センターの知財相談員として、地元企業の知財問題に関してアドバイスなどを行い、地域産業の発展を支援。主な著作は、「実務家のための米国・欧州・韓国 意匠出願のガイドライン」（「月刊パテント」2015年9月号〈共著〉）など。

ジーベック国際特許事務所

1991年設立の弁理士、弁護士を中心とする知的財産のプロフェッショナル集団。企業の"知"や"信用"が固有の資産や事業競争力を高める武器となるように、知的財産権の生成、評価、活用などに取り組む。多くの紛争解決経験を活かした権利取得や交渉の代理、提携している松田綜合法律事務所（https://jmatsuda-law.com）との緊密な連携によるワンストップの問題解決が特徴。

https://xebec-pro.com

知りたいことがすぐわかる

図解 知的財産権のしくみ

2021年12月20日　初版発行

著　者　ジーベック国際特許事務所
©XEBEC International Patent Firm 2021

発行者　杉本淳一

発行所　株式会社日本実業出版社　東京都新宿区市谷本村町3-29 〒162-0845

　　　　編集部　☎03-3268-5651
　　　　営業部　☎03-3268-5161　振替　00170-1-25349
　　　　　　　　　　　　　　　　https://www.njg.co.jp/

印刷／厚徳社　製本／共栄社

ISBN 978-4-534-05892-8　Printed in JAPAN